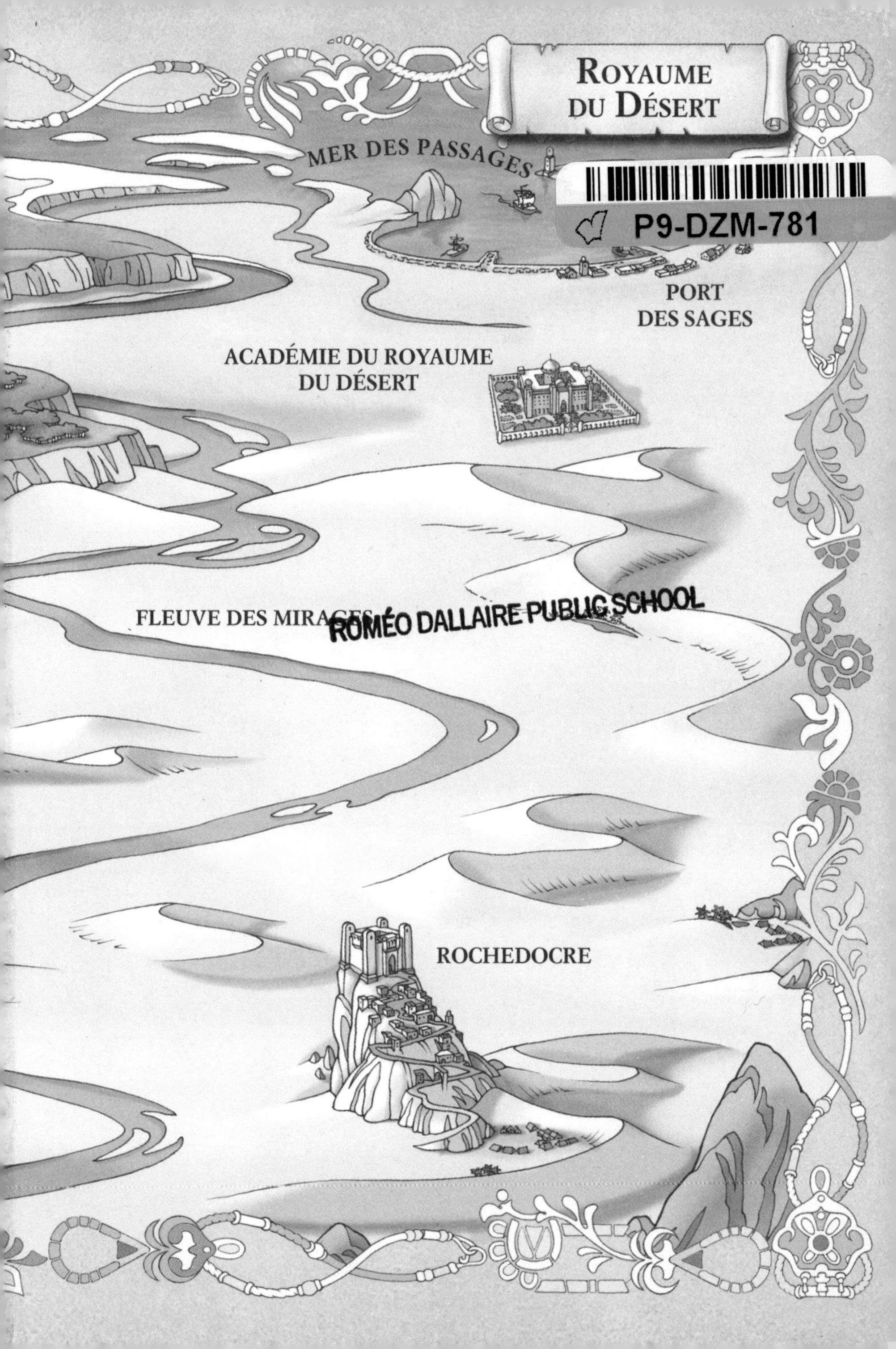
ROYAUME
DU DÉSERT
MER DES PASSAGES
PORT
DES SAGES
ACADÉMIE DU ROYAUME
DU DÉSERT
FLEUVE DES MIRAGES
ROCHEDOCRE

3

Texte de Téa Stilton.
*Basé sur une idée originale d'*Elisabetta Dami.
*Collaboration éditoriale d'*Elena Peduzzi.
Coordination éditoriale de Patrizia Puricelli.
Édition et coordination des textes de Benedetta Biasi.
Coordination artistique de Lara Martinelli.
*Rédaction et mise en pages d'*Elàstico.
Dessins originaux des Princesses du royaume de la Fantaisie de Silvia Bigolin.
Illustrations intérieures de Silvia Bigolin.
Projet photographique des «Secrets de Samah» de Sara Cimarosti,
avec les illustrations de Silvia Bigolin.
Cartes de Carla Debernardi *et* Carlotta Casalino.
*Couverture d'*Iacopo Bruno.
Projet graphique intérieur de Marta Lorini.
Traduction de Béatrice Didiot.

www.geronimostilton.com

Blog : albinmicheljeunesse.blogspot.com
Loi n° 49-956 du 16 juillet 1949 sur les publications destinées à la jeunesse
Dépôt légal : second semestre 2014
Numéro d'édition : 21277
ISBN-13 : 978-2-226-25774-1
Imprimé en France par Pollina S.A. en septembre 2014 - L69427
Numéro d'impression :

PRINCESSE *du* DÉSERT

ALBIN MICHEL JEUNESSE

Personnages

SAMAH

Responsable et avisée, la princesse du Désert a un caractère qui convient parfaitement à son statut de souveraine et de première-née des cinq princesses de la Fantaisie.

ARMAL

Doté d'un cœur courageux, le cousin de Samah adore l'aventure et les grands espaces. Ses passe-temps préférés sont l'exploration du désert et l'escalade de l'éperon rocheux sur lequel se dresse Rochedocre.

DAISHAN

Malgré sa nature rêveuse et romantique, la sœur d'Armal et jeune cousine de Samah sait parfaitement ce qu'elle veut. Dans certaines situations, elle peut même se révéler très obstinée !

DASIN

Tisseuse de la cour, elle réalise des tapisseries très particulières, qui illustrent les histoires portées par le vent.

Rubin Blue

Ce mystérieux jeune homme est arrivé à Rochedocre pour l'ouverture annuelle du marché des Sables. Son air affable mais quelque peu fuyant suscite la curiosité voire… un brin de méfiance.

Amira

En tant que monture personnelle de la princesse, cette magnifique jument à la robe d'or occupe une position privilégiée au sein des écuries royales. Dans l'immensité du désert, son extraordinaire instinct fait d'Amira une compagne précieuse pour Samah.

Yuften

Originaire d'un village situé aux confins de la Verte Plaine, ce jeune marchand est impulsif et indomptable. Jusqu'au jour où son cœur chavire pour une jeune fille… de sang royal !

Le Grand-Père

Grand-père maternel de Samah et ancien conseiller du Roi sage, le clairvoyant Amar se consacre désormais à l'écriture, notamment de poèmes. Samah sait qu'elle peut toujours compter sur lui, en particulier quand elle a besoin de réconfort ou de bons conseils.

Eh bien, nous en avons fait du chemin, les amis !

Vous rappelez-vous ce que je vous avais dit à propos du labyrinthe qui entoure Fleur d'oubli ? Dans la vie, rien n'est vraiment ce qu'il paraît ! Ainsi un simple jardin peut-il dissimuler un passage secret menant à un endroit lointain.

Or c'est au royaume du Désert que sont arrivés Gunnar, le prince des Glaces, et Kaléa, la princesse des Coraux. Et cette fois encore, nous avons bien l'intention de leur emboîter le pas, n'est-ce pas ? En effet, nous avons une importante mission à accomplir : aider nos amis à prévenir Samah du danger qui la menace, afin d'éviter que le malfaisant Prince sans Nom s'empare d'un nouveau couplet du Chant du sommeil *!*

Mais avant de partir, j'ai une recommandation à vous faire : tâchez de dénicher dans votre armoire une écharpe en coton ou en lin, peu importe sa couleur ! Comme le désert est balayé par de violentes tempêtes de sable, vous aurez absolument besoin de cet accessoire pour accompagner Samah, en particulier quand…

Mais que dis-je ? Pas question d'anticiper !

Enfin, croyez-moi, si vous décidez de me suivre dans cette nouvelle aventure, vous ne le regretterez pas !

Si vous ne voulez pas rater les grands événements qui se dérouleront dans la petite cité de Rochedocre, ainsi qu'un lever de soleil sur les dunes d'une beauté à vous couper le souffle, je vous conseille de vous dépêcher !

Le désert est un lieu mystérieux et enchanteur ; je suis certaine que vous succomberez à son charme et… à celui de sa princesse !

Bienvenue au royaume du Désert ! Mais, encore une fois, gare au sable et au vent !

Téa Stilton

Première partie

1
Bienvenue à Rochedocre

La petite cité de Rochedocre se dressait sur un piton jaune et lisse tel un joyau au bout d'un sceptre. À ses pieds s'étendait le désert des Murmures, une mer de sable à perte de vue qui se prolongeait en vastes terres caillouteuses.

Ce qui n'était d'abord qu'une lueur diffuse à l'horizon éclaira progressivement l'immensité désertique, colorant d'un rose pâle et réconfortant les murs des maisons. L'air piquant du matin sentait les fleurs, et quelques voix encore timides résonnaient dans le labyrinthe des ruelles étroites serpentant autour des habitations.

– C'est le grand jour ! murmura un homme coiffé d'un turban bleu et vert.

– Oui, les marchands ne vont pas tarder à arriver. Il sera bientôt temps de lancer le signal, répondit son interlocuteur, en levant des yeux d'ébène vers l'imposant palais qui dominait la cité.

Serrant la corne qu'il avait apportée, il se dirigea vers le sommet du piton pour sonner le premier jour du marché.

~*~

Au pied de la roche endormie, dans cet instant suspendu entre la nuit et le jour, une traînée de poussière zébra les tendres dunes. Samah, souveraine de Rochedocre et princesse du Désert, parcourait au grand galop les dernières centaines de mètres la séparant de sa cité. Les nuages de sable que soulevaient, tout autour d'elle, les sabots de sa monture s'illuminaient de reflets gris rose annonciateurs du nouveau jour.

« Nous n'avons plus beaucoup de temps, songea la jeune fille en éperonnant délicatement son coursier. Les marchands doivent être proches. »

La princesse, qui s'était levée alors que le ciel était encore sombre, chevauchait depuis une heure déjà. Ce matin-là, le sommeil l'avait abandonnée plus tôt qu'à

l'accoutumée, cédant la place à une attente joyeuse, mêlée de l'inquiétude que tout ne fût pas prêt pour le traditionnel marché des Sables. Cette importante manifestation rassemblait, chaque année, des négociants venus des quatre coins du royaume.

Samah avait supervisé les préparatifs dans les moindres détails ; mais afin d'échapper à la tension des dernières heures, elle avait décidé de sortir sur sa jument à la robe dorée, Amira, dont elle aimait tant la compagnie.

Se penchant en avant jusqu'à effleurer sa crinière, la jeune fille murmura :

– Plus vite, Amira ! Nous devons être à Rochedocre avant le lever du soleil !

Liée à sa maîtresse par une entente toute particulière, la jument hennit et accéléra. Dès lors, la princesse crut

voler entre vent et sable, comme entraînée dans un ballet silencieux.

Peu après, la silhouette familière de Rochedocre se fit plus nette. Et quelques minutes plus tard, Samah s'engagea au galop sur la petite route menant aux portes de la cité. Lorsqu'elle y parvint, elle tira sur les rênes d'un geste franc et s'immobilisa dans un nuage de poussière.

Puis elle bondit à terre et, tenant son cheval docile par la bride, marcha d'un pas décidé vers le palais.

Kel-Radek, le palefrenier royal, l'attendait dans la cour centrale.

La princesse l'aborda gaiement.

– Bonjour, Kel-Radek ! Je te confie Amira. Je repasserai aux écuries plus tard, mais maintenant, je dois filer ! Nous devons tout finir avant ce soir !

Sur ces mots, elle disparut sous le portique en se frayant un passage parmi les très fins voilages de coton.

~*~

Pour les habitants du royaume, le palais était un objet de fascination. Rares étaient ceux qui avaient pu le visiter. La majorité n'en connaissait que la vaste cour carrée, où se déroulaient les fêtes données par la princesse.

Mais le raffinement des mosaïques, les thermes ainsi que les salons de réception, telle la salle de la Voûte céleste, alimentaient bien des histoires. On racontait notamment que dans sa multitude de pièces se cachaient de vieux secrets.

Le palais se dressait à l'extrémité de la petite ville, sur le versant nord-ouest de l'éperon rocheux. Comme tous les autres bâtiments, il était fait de briques de boue séchée et de paille, mais son architecture était beaucoup plus imposante et majestueuse. Encadrées de frises ornementales aux couleurs éclatantes, les fenêtres de sa façade s'inséraient dans un élégant damier. Enfin, on ne pouvait entrer dans la résidence royale qu'en franchissant une lourde porte en bois d'iroko, dont chacun des battants était orné d'une spirale représentant l'eau, dont la cité ne manquait pas, et d'une tête de rhinocéros, symbole de force et de pouvoir.

La princesse monta dans sa chambre et, mue par la curiosité, se mit à sa fenêtre. Bientôt, les marchands seraient là !

Le marché des Sables lui plaisait énormément : c'était l'occasion de mieux connaître son peuple et de côtoyer du monde en passant d'agréables moments. En outre, elle savait que de nombreux commerçants devaient

endurer un long et dur voyage pour y participer, beaucoup venant des coins les plus reculés du royaume. Et même s'ils étaient habitués aux caprices du désert et aux grandes différences de température entre le jour

et la nuit, ils arrivaient souvent dans un état de grand épuisement. Surtout s'ils avaient dû affronter l'une des redoutables tempêtes de sable dont le désert des Murmures avait le secret; ou pire : les tristement célèbres scorpions tigres, qui se cachaient dans ses dunes.

Faute d'antidote administré dans les trois jours, leur venin était mortel. Mais heureusement, ces bêtes n'étaient pas méchantes et ne piquaient que quand elles se sentaient menacées.

Le son de la corne capta l'attention de Samah : elle annonçait l'aube du premier jour du marché !

2
L'arrivée des marchands

Le vent se leva. La princesse serra contre elle sa tunique de lin couleur lavande, tout en laissant ses très longs cheveux flotter dans l'air matinal. Depuis la fenêtre ouverte, dont les rideaux de soie ondulaient au gré de la brise, elle scruta le désert. Comme elle appréciait la fraîcheur et le bercement des bruits de la nuit, elle dormait rarement la fenêtre fermée.

Samah baissa les paupières et inspira avec délice : les parfums portés par le vent lui parlaient d'endroits lointains et mystérieux. Tandis qu'elle rouvrait les yeux, un premier rayon de soleil pointa à l'horizon. Alors, la cité et le palais s'embrasèrent, passant prestement de l'orange à l'ocre, puis au rouge vif. Aucun peintre dans

tout le royaume n'aurait pu reproduire ce déploiement de couleurs.

La lumière ramena à la vie les objets qui peuplaient la pièce, s'attardant sur le lit doré à l'or fin, la petite table de chevet en ébène et le tapis que Samah affectionnait tout particulièrement. Touchés par les lueurs de l'aube, les oiseaux multicolores qui décoraient sa trame parurent s'envoler dans un vert fouillis d'arbres et de feuillages.

Puis, près de la porte, le soleil éclaira la table

peinte, entourée de coussins, qui lui servait à la fois de bureau et de salon. Le palais était en effet dépourvu de chaises, si ce n'est celle sur laquelle s'asseyait Dasin, la tisseuse de la cour, pour travailler.

Samah regarda droit devant elle. Le désert des Murmures semblait s'étendre à l'infini, même si elle savait que l'immensité sableuse cédait la place à des terres rocheuses à l'ouest et au sud, à une plaine fertile au nord-ouest, et à l'incommensurable mer des Passages, au bout du fleuve des Mirages.

La princesse connaissait chaque empan de son royaume : elle savait tout du sable et de la pierre incandescente sous le soleil de midi, tout de la Verte Plaine, qui, juste au-delà du désert, déployait son exceptionnelle beauté, tout enfin des Versants désolés, montagnes abruptes et presque inaccessibles de l'Ouest, où nul n'osait s'aventurer.

– Les voici ! s'exclama-t-elle tout haut.

On apercevait au loin de petites caravanes cheminant vers la cité.

– Parfait, c'est l'heure de se mettre au travail !

Samah agita une clochette pour appeler la domestique qui l'aidait chaque matin à se préparer. Après

avoir pris un bain, la princesse enfila une longue jupe et une courte tunique, toutes deux en soie blanche.

La servante posa sur elle un regard admiratif.

– Vous êtes ravissante, princesse !

Les vêtements clairs qu'avait choisis Samah faisaient ressortir son teint halé, et son éclatant sourire illuminait jusqu'à ses yeux couleur de terre brûlée. Enfin une longue cascade de tresses fines retombait sur ses épaules.

La princesse adressa un sourire reconnaissant à la jeune fille, puis tint à s'assurer que les préparatifs pour le dîner d'ouverture du marché des Sables suivaient bien leur cours.

– Tout est prêt, en cuisine ? demanda-t-elle en attachant une ceinture de pièces tintinnabulantes à sa taille.

– La brigade est en plein travail !

– J'espère bien : tout doit être parfait !

Pour accueillir et remercier les hommes et les femmes qui contribuaient à la prospérité de Rochedocre et du royaume, la princesse leur offrait chaque année un grand banquet.

– Nous y veillerons, princesse, ne vous inquiétez pas !

Samah et la domestique gagnèrent le portique, puis traversèrent la cour centrale. Celle-ci était pavée de tesselles de marbre coloré qui représentaient la carte du

royaume du Désert. Une mosaïque ancienne et très précieuse.

Tout en la contemplant, la princesse se frappa le front : elle avait oublié quelque chose, s'aperçut-elle non sans embarras.

– Que se passe-t-il, princesse ?

– Je crains d'avoir omis un léger détail, confia-t-elle en exhibant ses pieds… nus. Comment se fait-il que cela m'arrive aussi souvent ?

La servante étouffa un petit rire, auquel Samah répondit par un regard amusé.

– Pars devant ! Moi, je file mettre mes babouches, dit-elle avec un geste explicite.

– Comme vous voulez, princesse !

Tandis que la jeune fille s'éloignait, Samah rebroussa chemin.

Elle venait d'avoir vingt ans et était l'aînée de sa fratrie, pourtant il n'était pas rare qu'elle oublie de mettre ses chaussures !

Elle secoua la tête en souriant. La vérité était que marcher pieds nus lui procurait une merveilleuse sensation de liberté !

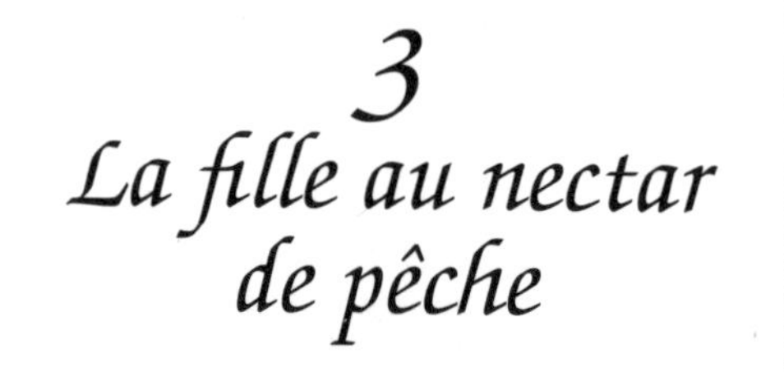

3
La fille au nectar de pêche

Un interminable convoi de marchands se traînait le long de la petite route gravissant l'éperon de Rochedocre. Ceux qui transportaient des marchandises encombrantes, tels des vases, des objets en cuivre, des meubles ornés de marqueterie, peinaient particulièrement dans ses étroits tournants.

Mais tous savaient qu'une fois qu'ils seraient parvenus au sommet, une coupe de nectar de pêche glacé, spécialité et orgueil de la cité, récompenserait leurs efforts.

Bien que sous ces latitudes la culture de la pêche ne fût pas commune, à Rochedocre c'était une tradition. Et ce depuis qu'un jardinier taciturne du nom d'Helgi, venu du royaume des Glaces éternelles, y avait découvert des sources souterraines.

Estimant que la terre recouvrant le piton pouvait dès lors être cultivée, il y avait créé un splendide jardin, composé de toutes les plantes poussant dans les pays chauds, dont un exceptionnel baobab à tronc rouge. Et il avait parachevé son œuvre en semant dans une parcelle du terrain des noyaux d'une variété particulière de pêchers, rapportés d'Arcandide.

Tout le temps que durèrent les travaux, Helgi conserva ses semences dans une bourse en cuir, dont il ne se séparait qu'à contrecœur et qu'il ouvrait souvent, comme pour vérifier que tout était en ordre.

Les hommes engagés pour l'aider réagissaient avec un mélange d'amusement et de compassion. Toute la journée, ils enchaînaient des réflexions telles :

– Quel besoin as-tu de contrôler sans cesse tes semences ? Sont-elles donc si précieuses ?

– À moins que le vent t'ait embrouillé les idées…

– Depuis que le monde est monde, on n'a jamais vu des graines se faire la belle dans les dunes… Moi, je dis qu'il exagère avec toutes ses simagrées !

Le soir, dans les tavernes de Rochedocre, certains racontaient même avoir surpris Helgi en train de parler à ses plantes, preuve qu'il leur prêtait bien plus d'attention qu'aux hommes. C'était vraiment un drôle de personnage !

Bien d'autres rumeurs couraient sur son compte, mais Helgi n'y accordait pas la moindre importance.

À la fin des travaux, nul n'aurait parié le plus insignifiant de ses biens sur la prospérité de son verger. Or, en un rien de temps, les noyaux donnèrent naissance à des arbres robustes, qui produisirent des pêches blanches à la peau veloutée et à la saveur exquise, bientôt renommées dans tout le royaume. Les gens de Rochedocre durent réviser leur jugement : ces semences avaient vraiment quelque chose de spécial !

Les soins que le jardinier avait dispensés au jardin cessèrent alors d'être une source de railleries pour devenir un objet d'admiration silencieuse.

Ce prodige était intervenu bien des années plus tôt, alors que le royaume du Désert venait tout juste de voir le jour et que les échos des batailles qui avaient déchiré le royaume de la Fantaisie étaient encore frais dans les mémoires.

Jadis, il n'y avait eu, en effet, qu'un seul Grand Royaume, que le futur Roi sage, père de Samah, avait soustrait aux griffes d'un tyran connu sous le nom de

Vieux Roi. Celui-ci n'avait été vaincu qu'au prix d'une longue guerre sanglante, au terme de laquelle un sortilège l'avait plongé, avec toute sa cour, dans un sommeil éternel.

Samah et ses quatre sœurs, Diamant, Nives, Kaléa et Yara, n'étant pas encore nées, elles ne pouvaient se rappeler ces temps troublés ; mais toutes conservaient un lointain souvenir de la période de paix et de sérénité qui avait suivi, quand leur père, nouveau souverain unanimement aimé et respecté, régnait sur le Grand Royaume.

La paix n'avait cependant pas réussi à calmer les inquiétudes du Roi sage. Le temps passant, celui-ci avait acquis la certitude qu'un aussi vaste territoire ne devait pas être dirigé par un souverain unique. La seule pensée qu'un nouveau despote en prenne le pouvoir le faisait frémir.

Il décida donc de partager le Grand Royaume en cinq fiefs, dont il confia les couronnes à chacune de ses filles en leur ordonnant de vivre chacune de son côté sans jamais chercher à se revoir. Puis lui-même disparut pour toujours. Ce n'est que de cette manière que la menace d'une nouvelle tyrannie pouvait être conjurée, pensait-il.

La fille au nectar de pêche

Chaque princesse se retrouva ainsi souveraine d'un royaume et gardienne de l'un des couplets du très ancien *Chant du sommeil*, le poème magique grâce auquel le Roi sage avait endormi son impitoyable ennemi. Ces couplets, qui étaient au nombre de cinq, devaient impérativement rester dispersés et secrets. S'ils venaient à être réunis et échouaient dans de mauvaises mains, les Cinq Royaumes courraient un très grand danger et le temps amer de la guerre reviendrait.

~*~

Parmi les marchands gravissant le piton et savourant à l'avance le légendaire nectar qui les attendait se trouvait une famille venue des confins septentrionaux du royaume. Sa marchandise était chargée sur une charrette tirée par un cheval.

D'un naturel doux et aimable, Nuasef, le plus jeune des deux fils, posait un regard émerveillé sur tout ce qui l'entourait, tandis que son frère Yuften marchait les yeux rivés au sol, la mine renfrognée. Ne ratant aucune occasion d'exprimer son mécontentement, le jeune homme avait commencé par refuser de porter le turban traditionnel.

À en croire sa mère, sa grande spécialité était de causer du souci à ses parents. Dans les jours précédents, cet éternel rebelle avait d'ailleurs fait tout son possible pour ne pas aller à Rochedocre, mais son père s'était montré inflexible.

– Un jour, ce sera à toi de vendre ces marchandises ! Tu dois apprendre le métier !

– Je ne serai jamais marchand ! avait rétorqué fièrement Yuften.

Mais à la fin, il avait été bien obligé de suivre.

Le voyage lui ayant semblé interminable et assommant, il était de très mauvaise humeur en franchissant les portes de Rochedocre.

– Prends un peu de nectar de pêche, lui recommanda son père en soupirant.

Grommelant une réponse incompréhensible, Yuften leva les yeux à contrecœur, et ce fut alors qu'il la vit.

~*~

Devant lui se tenait une jeune fille d'une éblouissante beauté. Elle portait une longue robe rouge ; ses cheveux étaient attachés en une queue-de-cheval basse, et des boucles en or pendaient à ses oreilles. Ses vêtements fleuraient les épices, et les bracelets également en or qu'elle portait aux poignets tintinnabulaient à chacun de ses gestes.

La fille au nectar de pêche

L'espace de quelques secondes, Yuften resta figé sur place : la jeune fille lui tendait une coupe avec un sourire solaire.

Au cours de ses dix-huit ans d'existence, il avait eu l'occasion de croiser bien des garçons et des filles, mais aucun ne l'avait frappé comme cette inconnue : tout en elle respirait la grâce et la dignité. Ses yeux de renard du désert, sa peau hâlée par le soleil, lisse comme un éclat de quartz…

– Eh bien, Yuften, qu'attends-tu ? le pressa son père.

Sa mère était déjà sur le point de s'excuser auprès de leur hôtesse, quand il répondit dans un sursaut :

– Je te remercie, aimable demoiselle !

Surpris de ces soudaines bonnes manières, ses parents et son frère le regardèrent avec des yeux ronds.

Faisant mine de rien, Yuften but une gorgée de nectar de pêche.

La jeune fille se tourna vers l'homme qui portait la jarre pleine de boisson, remplit une autre coupe et la donna à Nuasef.

– Puis-je connaître le nom de celle qui m'offre ce délice ? s'enquit alors Yuften.

La jeune fille le fixa d'un air amusé.

– Oui, bien entendu ! Je m'appelle Daishan.

Yuften en resta médusé, puis il se reprit.

– Et moi, je suis Yuften. Permets-moi de rendre hommage à ta beauté.

Il se mit alors à fourrager dans l'un des sacs en toile se trouvant sur la charrette et en sortit un bracelet gravé de motifs animaliers. Il le lui tendit en cherchant son regard.

– Tiens, il est pour toi !

Daishan accepta avec un sourire.

– C'est très gentil, Yuften. Il est magnifique !

– Ravi qu'il te plaise.

– C'est toi qui l'as fait ?

– Bien sûr ! mentit-il en ajustant le bijou autour du poignet gracile de la jeune fille.

Quelques pas derrière lui, son frère manqua de s'étouffer dans sa coupe.

Daishan rougit et, pour dissiper son embarras, servit leur rafraîchissement aux parents des garçons. La remerciant, ceux-ci la regardèrent s'éloigner pour accueillir un nouveau groupe.

– Tu as entendu notre fils ? Il a un talent caché pour la bijouterie ! ironisa son père à mi-voix.

– En tout cas, il disait vrai en prétendant ne pas être fait pour notre métier… répondit sa mère d'un

air débonnaire. Jamais un vrai marchand ne se séparerait d'une petite source de revenu avec une telle désinvolture !

Yuften ne détacha son regard de Daishan que lorsque son père pressa toute la famille de gagner la place.

Mais pour le jeune homme, qui ne nourrissait déjà pas un grand intérêt pour le marché et les affaires, tout ce qui n'était pas la fille au nectar de pêche cessa d'exister. C'était comme si le temps s'était arrêté, comme si le souffle du destin l'avait touché, le laissant désarmé et sans voix.

Incapable d'écarter cette vision de beauté et de douceur, il suivit le chariot d'un pas lent et mécanique.

– Daishan… murmura-t-il tout bas.

Dans le fond de son cœur, il était persuadé qu'il la reverrait.

4
La jument Amira

n cuisine, les préparatifs suivaient leur cours. Les rôtissiers et les pâtissières de la cour s'affairaient à mitonner les succulents petits plats destinés aux marchands.

La princesse veillait à ce que tout fût exécuté dans les règles de l'art, en particulier les recettes qui, depuis des générations, faisaient l'orgueil de Rochedocre, telle celle du gâteau aux dattes.

Elle-même prenait plaisir à cuisiner de temps à autre. Elle aimait par-dessus tout faire des expériences, comme associer des saveurs que nul autre n'aurait imaginé marier.

– Vous ne préparez rien aujourd'hui, princesse ? lui demanda une cuisinière jeune mais habile.

Pétrissant une grosse boule de pâte pour un dessert, elle avait le visage tout éclaboussé de la farine qui s'échappait de la masse à chacun de ses mouvements.

– Ma foi, non. Ce dîner est trop important pour que je le gâche avec l'une de mes inventions, répliqua Samah en souriant. Et maintenant, Amira m'attend ! Si vous avez besoin de moi, vous me trouverez près de sa stalle.

– Comme il vous plaira, répondit la cuisinière en esquissant une révérence.

La princesse sortit et traversa la cour en direction des écuries. On y accédait en franchissant un portail dont les planches de bois s'entrecroisaient tels les barreaux d'une grille. En le voyant fermé, Samah comprit que Kel-Radek, le palefrenier, n'était pas là. Elle l'ouvrit et pénétra dans une fraîche pénombre.

Puis elle salua chacun des chevaux en caressant leurs longs chanfreins brillants. Elle leur apportait souvent des légumes pour taquiner leur gourmandise, mais ce jour-là les préparatifs pour le dîner lui avaient fait oublier tout le reste.

Elle effleura les naseaux d'un splendide coursier noir, puis rejoignit la stalle d'Amira.

Là, elle resta quelques instants à admirer sa jument : dans la lumière filtrant par la petite fenêtre, la robe dorée

de l'animal miroitait de reflets enchanteurs, comme de la moire.

– Je suis là, Amira, comme je te l'avais promis ! annonça Samah.

Reconnaissant la voix de sa maîtresse, la jument approcha et baissa la tête pour se faire cajoler.

Chacun de ses mouvements était d'une grâce infinie et elle se déplaçait avec une assurance royale.

Samah la gratta derrière les oreilles ; puis saisissant une brosse, elle entra dans la stalle. Elle démêla soigneusement les crins de la queue d'Amira jusqu'à ce que celle-ci devienne aussi douce que de la soie.

Quand ce fut terminé, la jument renâcla avec un mouvement de tête qui fit onduler sa crinière. Puis, du bout du nez, elle poussa gentiment la main de Samah, comme pour l'inciter à continuer.

La jeune fille se serra contre elle en caressant son pelage, tandis qu'Amira frottait sa joue contre sa peau lisse.

– Oh, Amira, tu m'es si chère… et tu comprends tout sans qu'il soit besoin de parler !

Enfonçant ses doigts dans l'épais écheveau de sa crinière, la princesse se mit à brosser et à tresser patiemment celle-ci.

– Aujourd'hui est un grand jour, tu sais ! Ce soir, nous donnerons un banquet pour les marchands. Ce sera une fête mémorable !

De temps à autre, la jument lançait un petit hennissement, comme pour exprimer la joie que lui procuraient toutes ces affectueuses attentions.

Lorsque la princesse eut fini, elle recula de quelques pas et contempla le résultat.

– Tu es magnifique, ma bonne amie ! s'exclama-t-elle, satisfaite.

Sur ces mots, elle rangea tous les accessoires dans un seau et les nettoya sous le regard d'Amira. Puis, elle salua celle-ci et repassa de l'ombre au plein soleil.

5
Le marché des Sables

omme chaque année, le marché des Sables s'apprêtait à ouvrir. Après s'être désaltérés et remis de la fatigue de leur voyage, les marchands rejoignirent la place de Rochedocre pour y installer leurs étals.

La place formait un long rectangle bordé de hautes et étroites maisons peintes en jaune, rouge et ocre.

En son centre jaillissait une source d'eau fraîche et claire, que tous appelaient la fontaine des Merveilles. L'eau retombait dans un bassin en pierre, orné de quatre roches sombres provenant des Versants désolés et serti d'une multitude de petits coquillages rapportés du royaume des Coraux.

Le marché des Sables

Dès midi, la place regorgeait de marchandises colorées ; les ruelles exhalaient des senteurs évoquant les pays lointains, et divers récits et histoires se propageaient de bouche en bouche à travers toute la cité.

On n'attendait plus que la princesse, dont les paroles de bienvenue inaugureraient la foire.

Or celle-ci était en train de parcourir les couloirs ombragés du palais en prenant de profondes inspirations. La perspective de rencontrer son peuple, en particulier les marchands qui ne venaient à Rochedocre qu'en de rares occasions, l'impressionnait toujours. Comme en outre elle menait une vie simple et n'aimait pas les formalités, elle n'était guère à l'aise lorsqu'il s'agissait de parler en public. Heureusement, elle serait accompagnée de son cousin Armal, qui, tout comme son aînée Daishan, vivait auprès d'elle.

Âgé de dix-sept ans, Armal était un jeune homme fort et courageux, grand amateur d'aventures et de

découvertes. Bien qu'il fût très attaché à sa cousine, à sa sœur et à la cour, il partait volontiers arpenter le désert des semaines durant, dans le sillage de caravanes de Bédouins ou d'expéditions d'exploration. Et quand il restait au palais, il aimait dresser les fabuleux chevaux arabes de la famille royale, en compagnie d'Ajar, le guide du désert ; ou encore s'amuser à escalader le piton de Rochedocre par son versant le plus escarpé, à l'aplomb de la mer de sable. Supportant mal les environnements clos, il ne se sentait pleinement vivant que dans les espaces illimités.

Lorsque le jeune homme, posté devant la porte d'entrée, aperçut sa cousine, il lui adressa un petit signe. Ce jour-là, lui aussi s'était entièrement vêtu de blanc. Il portait une tunique descendant jusqu'aux genoux par-dessus de longs pantalons bouffants ; un turban couvrait ses courts cheveux sombres, et ses pieds étaient chaussés de sandales en cuir clair.

– Bonjour, cousin ! le salua Samah. Aurais-tu vu Daishan, par hasard ?

– Pas encore.

– As-tu la moindre idée d'où elle peut se trouver ?

Armal secoua la tête.

– Tout ce que je sais, c'est qu'elle s'est proposée pour distribuer le nectar de pêche aux arrivants.

Un petit pli rida le front de la princesse, si discret que seuls ceux qui la connaissaient bien pouvaient le remarquer.

– Quelque chose ne va pas ?

– Qui sait…

– Tu es inquiète ?

– Pas vraiment. Mais ces derniers temps, ta sœur est plus distraite que d'habitude, Armal. Tous ces projets en l'air, toutes ces rêveries… Elle a tenu à accueillir les marchands et je crains de savoir pourquoi…

– Dis-moi !

– Elle ne tient pas en place. Elle veut tout voir.

– Mais enfin, il n'y a aucun mal à être curieux.

– Non, mais trop de curiosité peut causer des ennuis, ne l'oublie pas !

À la différence de sa sœur, Armal était un garçon raisonnable. Et même si son amour de la vie au grand air le

rendait aventureux, il n'était guère impulsif. Le trouvant bien plus mûr que son âge, Samah lui faisait confiance et lui demandait souvent conseil.

– Grand-père a dit qu'il descendrait plus tard, l'informa-t-il pour changer de sujet.

– Tu lui as parlé ?

– Oui, il est en train d'écrire.

La princesse ne demanda rien de plus. Contrairement à ce que le port altier de son aïeul pouvait laisser croire, celui-ci était le plus vieil homme de la cour ; c'était également le plus avisé.

Il s'appelait Amar et était le grand-père maternel de Samah. Né au royaume des Coraux, il vivait depuis bien des années à Rochedocre, sans jamais avoir réussi à adopter le turban traditionnellement porté par les natifs du lieu.

À l'époque du Grand Royaume, Amar était l'un des plus proches conseillers du Roi sage. À ce titre, la princesse voyait en lui non seulement un modèle de clairvoyance et d'expérience auquel se référer pour gouverner son royaume, mais aussi un reflet direct de ses parents, qui lui manquaient tant. Sans se soucier du passage des années, elle avait continué à l'appeler

« grand-père » comme dans son enfance, et toute la cour avait fini par l'imiter.

D'un naturel plutôt réservé, le sage Amar passait le plus clair de ses journées à écrire des histoires se rapportant à son peuple : certaines vraies, d'autres modifiées au gré de sa fantaisie. Mais toutes si belles que nul ne se souciait de faire la différence. Ainsi, au fil des années, réalité et imagination avaient-elles fini par se mêler indissolublement.

6
Le discours de la princesse

Les deux cousins franchirent la grande porte en iroko et se trouvèrent plongés dans une foule en pleine effervescence. Les ruelles regorgeaient de gens qui allaient et venaient, chargés de marchandises en tout genre. Un bonimenteur cherchait à attirer le client avec des prix défiant toute concurrence ; d'autres chahutaient joyeusement ; d'autres encore s'engageaient dans d'extravagantes négociations avec les passants. Les affaires ne commenceraient vraiment qu'après le discours inaugural de la princesse, mais il n'était jamais trop tôt pour montrer ce que l'on avait à vendre.

Les voix du marché résonnaient sur fond de balafon, un instrument de musique très répandu au royaume

du Désert. Cette sorte de xylophone végétal, dont les lames reposent sur des calebasses servant à en amplifier le son, produisait une musique proche du clapotement des gouttes d'eau sur le bois ou la pierre.

Samah, qui adorait se promener à travers les venelles de la cité, regardait tout autour d'elle avec ravissement. Ailleurs, on se serait étonné de voir une princesse déambuler sans escorte, mais Rochedocre était un endroit paisible et sans danger où il n'y avait nul besoin de protection. En outre, tous connaissaient et respectaient la jeune souveraine : si un péril avait menacé sa personne ou le royaume, toute la population se serait interposée.

Son bref parcours du palais à la place fut ponctué d'applaudissements et d'acclamations.

– Vive la princesse ! Longue vie à Samah ! ne cessait-on de répéter ici et là.

– Il y a beaucoup de marchands, cette année ! observa Armal en se frayant un chemin à travers les rues étroites et bondées. Cela signifie que le royaume est calme et prospère !

Parvenue sur la place, la jeune fille gravit une modeste estrade, afin que tous puissent la voir, et immédiatement le silence se fit.

Le discours de la princesse

Avec un sourire, la princesse prit une profonde inspiration et commença :

– Amis marchands, je vous souhaite la bienvenue à Rochedocre en mon nom et au nom de la cour ! J'espère que cette année encore, vous apprécierez notre accueil...

« Au-delà de toute espérance ! » pensa Yuften, au milieu de la foule. Tandis que Samah poursuivait son discours, il chercha des yeux la jeune fille à laquelle il avait donné le bracelet, mais ne l'aperçut nulle part.

– ... c'est pourquoi je vous remercie d'avoir, une fois de plus, enduré un long voyage pour être parmi nous aujourd'hui. Faites de bonnes affaires et passez un agréable séjour à Rochedocre, cité heureuse et florissante notamment grâce à vous !

Sur ces mots, la princesse inclina la tête devant son peuple comme le voulait l'usage, et celui-ci l'applaudit avec entrain.

À cet instant, quelqu'un tira Armal par la manche. Ce n'était autre que Daishan : tout ébouriffée et souriant jusqu'aux oreilles, elle avait l'air euphorique.

– Bonjour, Daishan. On se demandait justement où tu étais passée.

– Salut, petit frère ! J'ai participé à l'accueil des marchands à l'entrée de la ville.

– Cela, je le savais déjà, merci…

– Mais tu ne peux pas savoir combien cela m'a amusée !

– À te voir, le mot paraît faible ! Dis-moi… t'est-il arrivé quelque chose de particulier ?

Prenant congé d'un groupe de négociants, Samah aperçut sa cousine.

– Daishan, quel plaisir de te voir ! Mais tu me sembles un peu éprouvée… remarqua-t-elle.

– À cette heure, le soleil tape dur… Et désaltérer tout ce monde n'a pas été une mince affaire ! argua sa jeune cousine.

Armal lui lança un regard inquisiteur.

– Quel joli bracelet tu as ! s'exclama Samah.

Rien n'échappait à la princesse : dotée de la mémoire du détail, elle relevait jusqu'au plus infime changement.

– C'est un marchand qui me l'a offert, pour me remercier de ma gentillesse.

– Ta gentillesse ?

– Oui, quand je lui ai donné à boire ! gazouilla gaiement Daishan.

Samah souleva un sourcil réprobateur.

– Mais enfin, nous en faisons autant pour tous les autres ! Tu n'aurais pas dû accepter !

– Tu sais… il était si reconnaissant et avait l'air d'y tenir tellement qu'il aurait été malpoli de refuser ! répliqua Daishan.

La princesse trouva sa cousine un tantinet exaltée. Lui cachait-elle quelque chose ?

De fait, Daishan pensait au jeune homme aux profonds yeux noirs. Certainement venait-il de très loin ; et, une fois qu'il serait reparti, peut-être ne le reverrait-elle plus jamais… Il ne lui resterait alors que son nom : Yuften. Sans bien savoir pourquoi, cette perspective l'attrista et elle laissa échapper un long soupir… que remarqua Samah.

– C'était un bien charmant jeune homme, j'imagine… dit la princesse en l'arrachant à sa rêverie.

– Qu'est-ce qui te fait dire cela ? murmura Daishan.

– Une certaine lueur dans ton regard… la taquina sa cousine, amusée.

Voyant sa sœur rougir, Armal sourit à son tour.

– En tout cas, c'est un beau bijou ! conclut Samah. Je rentre au palais, et vous, que faites-vous ? Vous restez ici ou vous m'accompagnez ?

– Si cela ne t'ennuie pas, nous allons nous attarder un peu en ville, répondit Armal.

– Comme vous voulez. À plus tard !

Le frère et la sœur regardèrent la silhouette élancée de leur cousine disparaître dans la foule. Daishan se réjouit alors de se retrouver seule avec Armal. Comme tous deux étaient très proches, elle éprouvait le besoin de lui confier son échange avec le jeune marchand.

Mais son frère la devança.

– Alors, qui as-tu rencontré de si intéressant ? lui demanda-t-il, intrigué.

Les yeux de Daishan s'illuminèrent.

– En fait, je l'ignore. Comme je vous le disais, c'est un jeune étranger, qui est vraiment… fascinant.

– Vas-tu le revoir ?

– Si j'ai la chance de le croiser à nouveau…

– Peut-être au banquet de ce soir.

– Oui, peut-être.

Armal était à la fois surpris et content : cela faisait si longtemps qu'il n'avait pas vu sa sœur rayonner d'une telle joie !

– Tu sais que tu peux toujours compter sur moi… n'est-ce pas ?

– Bien sûr, petit frère ! Merci !

Tous deux s'étreignirent avec émotion, sans penser que cela pourrait affecter quiconque. Or, bien caché dans la foule, quelqu'un s'en affligea : Yuften.

7
L'arrivée de Rubin Blue

ubin Blue chevauchait depuis des jours et des jours en direction de Rochedocre. Lorsqu'il vit la cité se profiler à l'horizon, au-delà de dunes qui semblaient infinies, il poussa un soupir de soulagement : il ne lui restait plus une goutte d'eau et sa monture commençait à chanceler. Ni lui ni elle n'auraient tenu encore longtemps, c'était évident !

Le jeune homme n'avait pas encore réussi à s'adapter au climat de ce royaume, battu par des vents secs soulevant des nuages de sable incandescent. Sa peau claire et ses yeux bleus n'arrangeaient rien à l'affaire. Le soleil et le vent lui brûlaient le visage et le manque d'eau enflammait sa gorge.

À bout de forces, il gravit la petite route qui menait à l'entrée de la cité en espérant ne pas avoir fait tout ce chemin pour rien.

Il devait absolument trouver le précieux objet, puis il aurait sa récompense. Mais avant tout, il lui fallait de l'eau, faute de quoi il s'effondrerait.

Ruminant tout cela, il entra dans la ville et se dirigea vers un grand bâtiment coloré, qui devait être le palais des souverains. Là, il demanderait un brin d'hospitalité.

~*~

Après avoir passé l'après-midi à superviser les ultimes préparatifs pour le banquet, la princesse sortit se promener dans la cour.

Laissant vagabonder ses pensées, elle avait déjà parcouru toute la longueur des arcades, quand elle entendit frapper à la grande porte donnant accès à la ville.

Distraitement, elle poussa l'un des lourds battants en iroko et se trouva face à un étranger, qui serrait en flageolant les rênes d'un magnifique cheval blanc. Il avait l'air d'avoir fait un très long voyage.

– Oh ! Puis-je quelque chose pour vous ? s'enquit-elle, surprise.

L'arrivée de Rubin Blue

Rubin Blue crut à un mirage.

Il dut fermer les yeux et les rouvrir deux fois pour s'assurer qu'il ne s'agissait pas d'une des nombreuses illusions produites par le désert. Devant lui se tenait une jeune fille d'une incomparable beauté, dont la voix avait les accents mélodieux d'une flûte.

– En effet, je suis épuisé et j'aurais besoin d'un peu de repos, répondit-il après avoir repris ses esprits. Puis-je vous demander de l'eau pour mon cheval et pour moi ?

– Mais certainement ! Je vous en prie, entrez !

La princesse le conduisit dans la cour.

– Kel-Radek ? appela-t-elle.

Un instant plus tard, Rubin Blue vit apparaître un homme de très petite taille, à la peau, aux yeux et aux cheveux sombres. Sous son turban étincelait un regard d'aigle. Il portait une veste confortable sur de larges pantalons et tenait une étrille. Sans le savoir, le nouveau venu se trouvait en face du palefrenier de la cour, qui en plus d'être le plus fin connaisseur de chevaux de tout le royaume était celui qui les aimait le plus ; certains disaient même qu'il parlait leur langue.

– Me voici, princesse !

En entendant ces mots, malgré la fatigue et la soif, l'étranger tendit l'oreille. La jeune fille qui l'avait accueilli était-elle la princesse Samah ? L'hospitalité de Rochedocre n'était donc pas une légende ! Non seulement sa souveraine lui avait personnellement ouvert la porte du palais sans la

moindre hésitation, mais elle s'employait à secourir sa monture, comme si de rien n'était.

– Kel-Radek, prends soin de ce malheureux cheval : il est éreinté et assoiffé !

– Tout de suite, princesse.

Le palefrenier prit les rênes de l'animal et l'emmena aux écuries.

– Asseyez-vous là, je vous en prie ! proposa-t-elle ensuite à Rubin en désignant de gros coussins disposés sous la galerie. Je vous apporte immédiatement à boire !

Elle franchit une porte et revint presque aussitôt avec une cruche pleine de nectar de pêche.

Le jeune homme but avidement : le jus de fruit coulait dans sa gorge comme la sève à l'intérieur d'un arbre ; et petit à petit sa langue et ses lèvres s'assouplirent. En moins de temps qu'il n'en faut pour le dire, il avait vidé le récipient.

– Je vais en chercher plus ! dit Samah.

– Attendez, je vous en prie ! Je n'ai plus soif et me sens déjà mieux. J'aimerais vous remercier de votre gentillesse. Je m'appelle Rubin Blue, déclara-t-il en se levant.

Ce faisant, il éprouva un léger vertige, qu'il s'efforça de dissimuler.

– Et moi, je suis Samah, princesse du royaume du Désert. Vous êtes ici dans mon palais. Soyez le bienvenu à Rochedocre, Rubin Blue !

– Vos largesses font l'admiration de tous, princesse.

Rubin aurait également aimé louer la beauté de Samah, mais d'après les informations qu'il avait pu recueillir, celle-ci avait un caractère discret et réservé, et elle était certainement peu encline à recevoir des compliments.

– Ce sont les autres qui se montrent généreux en parlant de moi en ces termes. Quoi qu'il en soit, je me réjouis que vous ayez repris des forces. Puis-je vous demander le motif de votre visite ?

– Je suis marchand.

– Mais vous n'êtes pas d'ici, n'est-ce pas ?

– Mon physique me trahit : c'est vrai, je viens de loin !

– Pour profiter du marché ?

– Précisément ! répondit l'étranger en souriant.

« Il a l'air sympathique, songea Samah, et un visage particulier. »

– Pourtant, vous n'avez pas de marchandise. Qu'est-ce qui vous a poussé à entreprendre un si long voyage ?

– Je cherche des objets rares sur commande, voyez-vous.

– Et vous pensez en trouver ici ?

– Je l'espère. Mais au fait, pourriez-vous, s'il vous plaît, m'indiquer un endroit où dormir ?

– Je crains que toutes les auberges de la ville affichent complet. Beaucoup de visiteurs sont obligés de camper au pied du rocher.

– En effet, j'ai vu leurs tentes…

– Vous m'obligeriez en acceptant d'être mon hôte jusqu'à votre départ. Ce soir, nous donnons un grand banquet, auquel tous les marchands sont conviés.

– C'est très aimable de votre part, princesse Samah ! J'accepte avec plaisir.

– Eh bien, l'affaire est entendue ! J'appelle immédiatement quelqu'un pour vous accompagner à votre chambre, afin que vous puissiez vous reposer avant le dîner.

– Que de sollicitude ! J'espère pouvoir vous rendre la pareille, un jour !

– À plus tard, Rubin Blue.

La princesse monta dans les étages à la recherche d'un domestique. Repensant à son étrange visiteur, elle sourit : il avait une drôle d'allure, mais d'agréables manières !

Dans un royaume moins sûr que le sien, son invitation aurait pu sembler imprudente, mais à Rochedocre, les règles de l'hospitalité l'obligeaient à l'héberger.

Quoi qu'il en soit, la princesse n'avait aucune arrière-pensée : Rubin Blue lui semblait recommandable. Et elle avait l'art de juger au premier regard à qui elle avait affaire !

~*~

Peu après, Rubin ferma précautionneusement la porte de la chambre qu'on lui avait attribuée et s'étendit sur le lit moelleux et parfumé.

Puis il regarda autour de lui : la pièce était grande, claire et bien aérée. Agrémentée de meubles en bois précieux et de rideaux de lin très fin, elle était si accueillante qu'il s'y sentait comme chez lui.

Pensant à ses voyages en solitaire, il soupira. À force de se déplacer d'un bout à l'autre des Cinq Royaumes, il n'avait jamais pu s'enraciner nulle part. Était-ce là la vie qu'il désirait ?

Il se retourna sur sa couche.

Les mauvaises rencontres qu'il avait faites dans le

passé lui revinrent en mémoire, mais il en chassa le souvenir. La nostalgie et les regrets pouvaient attendre ; il était temps de penser à l'avenir avec espoir. Et confiance.

Il se leva, retira sa chemise et se lava le visage, avant de se laisser retomber sur le lit, en s'efforçant de ne pas céder au sommeil ; bientôt, il devrait descendre dîner.

8
Le banquet des marchands

ingt tables en bois, basses et rectangulaires, avaient été dressées dans la cour du palais royal. Toutes étaient entourées de moelleux coussins multicolores.

Au milieu d'elles trônait une table plus petite, traditionnellement réservée à la famille royale, qui se composait de la princesse Samah, de ses cousins Armal et Daishan et du vénérable Amar, dit le Grand-Père.

Chaque table était garnie d'odorantes compositions florales, de corbeilles remplies de citrons, de carafes d'eau froide puisée à la fontaine des Merveilles, et bien entendu de nectar de pêche, servi à volonté.

Le banquet des marchands

Arrivés après le coucher du soleil, les marchands furent accueillis par la princesse en personne.

Samah portait une longue jupe en soie et une chemise finement brodée, toutes deux turquoise. Elle était coiffée d'une calotte également en soie, incrustée de pierres précieuses qui miroitaient à chacun de ses mouvements. Elle rayonnait d'une beauté à couper le souffle.

Après avoir salué la princesse, les invités furent abordés par une jeune fille portant un panier plein de menus cadeaux de bienvenue : des coquilles de noix contenant de petites graines. En les agitant, on pouvait tenir

à distance les tempêtes de sable, disait-on. Naturellement, ce n'étaient que de vieilles légendes en lesquelles personne ne croyait vraiment, mais ces présents faisaient partie des usages.

Une fois parvenus dans la cour, les marchands levèrent les yeux pour contempler l'imposante architecture du lieu. Ils s'attardèrent ensuite sur la mosaïque représentant la carte du royaume du Désert qui s'étendait sous leurs pieds. Les plus attentifs réussirent à identifier les parties du palais qui donnaient sur la cour : l'aile des domestiques, les thermes, la citerne et les écuries. Dans ces dernières étaient gardés les remarquables chevaux de la famille régnante, dont Amira, la monture personnelle de la princesse.

Aux quatre coins de la cour s'élevaient de grands hibiscus en fleur. Les fenêtres, grandes ouvertes et éclairées par des centaines de bougies, laissaient entrevoir des plafonds aux peintures somptueuses. De lointains accents de flûte flottaient dans l'air frais du soir. Et partout fusaient des cris d'admiration.

Sur un signal des domestiques, les invités prirent place autour des tables, impatients de déguster les premiers mets.

Les banquets de Rochedocre étaient en effet réputés

pour leur raffinement et pour l'originalité des ingrédients utilisés, inconnus de la plupart des visiteurs.

Tout comme les autres, Yuften s'était trouvé une place à une table, mais refusait obstinément de s'asseoir : bien plus que les plats, il attendait la jeune fille qui l'avait accueilli, ou plutôt envoûté, aux portes de la ville. Il était certain de la revoir ce soir-là, et ne s'installerait qu'après son arrivée.

Quelques instants plus tard, le jeune homme vit trois personnes, deux jeunes et une nettement plus âgée, descendre l'escalier menant au rez-de-chaussée. Il ne put identifier l'homme aux cheveux blancs attachés sur la nuque qui avançait d'un pas énergique, mais reconnut ceux qui l'accompagnaient : il s'agissait de Daishan, la fille au nectar de pêche, et du garçon qu'elle avait serré dans ses bras le matin même sur la place du marché.

Yuften se rembrunit. Son intuition avait été juste : il avait bel et bien retrouvé Daishan, mais il espérait se tromper sur l'identité de celui qui l'escortait… Le jeune homme avait tout l'air d'être son fiancé !

Le vieil homme et les deux jeunes gens se dirigèrent vers la table centrale. Daishan s'apprêtait à s'y asseoir quand elle croisa le regard affligé de son admirateur.

Enfin arriva la princesse, qui, avant de s'installer, s'adressa publiquement aux marchands réunis :

– Chers amis qui venez de loin, je vous souhaite, en mon nom, au nom de mon grand-père et de mes cousins, Armal et Daishan, la bienvenue dans notre demeure. Je suis très heureuse de vous accueillir, cette année encore, à notre traditionnel banquet, qui, je l'espère, sera à votre goût. Bonne soirée et bon séjour à tous !

Les invités applaudirent et agitèrent les petites noix en signe de réjouissance.

Yuften, quant à lui, poussa un soupir de soulagement : Daishan et le garçon étaient donc frère et sœur ! Mais aussi cousins de la princesse…

Son visage s'assombrit : quelle chance pouvait avoir un fils de marchand auprès d'une jeune fille de sang royal ?

Les yeux dans le vague, il sentit monter une sourde inquiétude et fut incapable de prêter attention au bavardage des siens. Il devait profiter de la situation, trouver le moyen de parler à Daishan pour la connaître un peu mieux.

Au même moment, Rubin Blue, qui était assis à la table voisine de celle de la princesse et avait écouté son discours, se félicitait d'être à Rochedocre, où battait le cœur même du royaume du Désert.

~*~

Les cuisiniers du palais avaient préparé toutes sortes de délices. Sur ordre de Samah, des serviteurs apportèrent d'immenses plateaux garnis de couscous aux légumes confits, de dattes farcies au fromage de chèvre,

de poulet aux pignons roulé dans des feuilles de figuier, de soupe aux pois chiches et aux épices, de curry de légumes servi dans des galettes d'épeautre, de gâteau aux fleurs d'hibiscus et au zeste de citron, de biscuits à la pistache et au miel, de douceurs aux dattes, et de bien d'autres mets encore. Un véritable festival de couleurs et de saveurs qui laissèrent les invités bouche bée… enfin provisoirement !

Les commentaires sur les plats se mirent à circuler de table en table. Et bientôt, dans une ambiance enjouée et festive, rires, blagues et histoires envahirent la cour.

Deux convives pourtant, qui se regardaient de temps à autre en sentant leur cœur bondir dans leur poitrine, attendaient impatiemment la fin des agapes pour enfin pouvoir se parler.

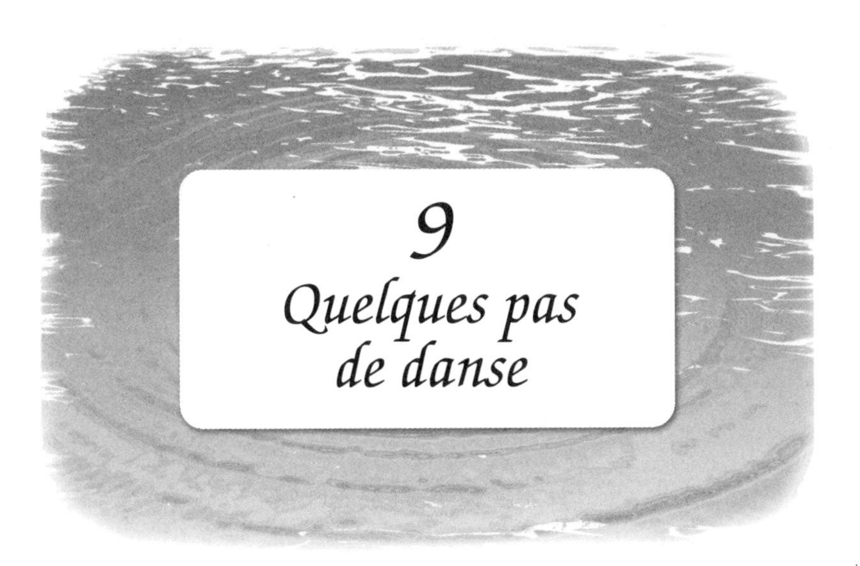

9
Quelques pas de danse

Le banquet remporta un franc succès. Tous mangèrent avec tant d'appétit qu'il ne resta plus que des miettes sur les plateaux. Sirotant le thé parfumé servi à la fin du repas, Samah savourait le spectacle de ses invités prenant du bon temps. D'ailleurs, elle aussi passait une agréable soirée en compagnie des siens et de Rubin Blue, qu'elle avait convié à sa table.

Daishan, elle, ne parlait pas. Comme souvent, elle s'était retirée dans un monde où elle se plaisait à rêver les yeux ouverts. Depuis toute petite, elle avait l'incroyable don de s'isoler pour mieux suivre le fil de ses songeries. Son frère, qui, lui, avait les pieds sur terre, ne cessait de

la mettre en garde contre ces « mirages », comme il les appelait, qui la rendaient distraite et peu fiable.

– Pour ce qui est de la distraction, tu as peut-être raison, mais pour le reste, tu exagères… Tu ne serais pas un peu jaloux de mes voyages imaginaires ? lui avait-elle répondu un jour.

– Absolument pas ! Moi, je préfère les aventures bien réelles ! avait-il répliqué fièrement.

Caressant les cheveux de Daishan, le Grand-Père avait alors dit d'une voix douce :

– Armal, ne sous-estime pas le pouvoir de l'imagination ! C'est un bienfait ! Et toi, Daishan, essaie de comprendre ce qu'expriment les reproches de ton frère : à force de vivre dans un monde fictif, tu risques de passer à côté des choses infiniment précieuses que dispense chaque jour la réalité.

Après réflexion, la jeune fille s'était aperçue qu'Amar avait raison. Mais rêver était plus fort qu'elle, aussi naturel à ses yeux que respirer ou parler !

Ce soir-là cependant, elle devait veiller à se contrôler pour ne pas trahir la présence de Yuften à quelques tables d'elle. Elle ne voulait surtout pas éveiller la curiosité de Samah, qui donnerait lieu à des questions embarrassantes. Malgré tout, il lui était impossible de suivre la

conversation ! Ses pensées l'emportaient bien loin des souvenirs de voyage que Rubin Blue racontait à Samah, au Grand-Père et à Armal pour les divertir.

Pinçant doucement son bras, son frère lui fit retrouver ses esprits au moment même où le jeune étranger achevait l'un de ses récits.

– … prenant congé de cette mystérieuse femme, j'ai décidé de suivre la petite caravane de Bédouins jusqu'à un méandre du fleuve des Mirages. Nous comptions passer la nuit à l'abri d'une grande dune. Or, le crépuscule venu, j'ai assisté à l'un des plus impressionnants spectacles de ma vie ! Le soleil allumait des reflets dorés sur l'immense étendue d'eau, dont s'échappaient des vapeurs aux tons pastel, aussi épaisses que des nuages ! En y regardant de plus près, j'ai cru discerner, au-delà des nuages, des toits et des flèches, voire des maisons…

– Vous avez entrevu la cité perdue d'Agar ! l'interrompit Armal avec emphase. C'est un privilège que le fleuve n'accorde qu'à très peu de gens !

– Tout laissait à penser qu'il s'agissait de cette cité légendaire, en effet ! Or, seul un pas me séparait d'elle ! J'ai serré dans ma main le flacon de jus de grenade que m'avait vendu cette fameuse femme, certain que les propriétés de ce breuvage m'aideraient à distinguer le

vrai du faux, la réalité de l'illusion. Et je suis retourné à notre campement, le cœur battant. Cette nuit-là, ne cessant de penser à Agar et à ses trésors disparus, je n'ai pas pu fermer l'œil !

– Et vous avez fini par trouver ce que vous cherchiez ? demanda le Grand-Père, fort intéressé.

– Dans la vie, il ne faut pas trop se fier à ce qui n'est pas de son domaine. J'ai eu bien tort de croire à ce que m'avait raconté cette inconnue, rencontrée au port des

Sages, et à sa mixture révélatrice ! Malheureusement, quand je l'ai compris, il était trop tard…

– Racontez-nous, Rubin Blue ! Nous brûlons de savoir comment s'est terminée votre aventure, l'encouragea Samah.

– Soit, princesse ! Voici ce qui s'est passé : au lever du soleil, j'ai annoncé aux Bédouins que je m'absentais pour quelques heures et je les ai priés de m'attendre au campement. Puis j'ai galopé vers la rive du fleuve. Plus j'approchais de l'eau, plus les vapeurs devenaient denses et enveloppantes. La chaleur mêlée à l'humidité m'empêchait de respirer. Malgré cela, j'ai décidé de continuer. Agar se faisait de plus en plus proche… Plus que quelques pas et je pourrais la toucher. Suivant à la lettre les recommandations de cette femme, j'ai pénétré dans le fleuve jusqu'aux genoux, débouché le flacon et avalé la potion.

À ce moment, Rubin s'interrompit en baissant les yeux, comme s'il se rappelait une chose douloureuse, une occasion perdue pour toujours.

– Mais elle avait menti. Au lieu d'un élixir de vérité, j'avais ingurgité

du poison. Pris de vertiges, j'ai levé les yeux pour repérer la position du soleil, mais il était caché par la brume qui montait du fleuve. Je me suis senti étourdi et je suis tombé. Tout s'est obscurci autour de moi et la dernière chose que j'ai vue avant de m'évanouir était le visage de celle qui m'avait trompé. Ses yeux brillaient comme de la braise.

– Et qu'est devenue votre expédition ? s'enquit la princesse.

– Quand je me suis réveillé, j'ai découvert qu'on m'avait volé mon cheval, ma sacoche pleine de provisions, ma boussole et le cadran solaire dont je ne me séparais jamais. J'ai glissé ma main sous ma tunique à la recherche de l'étui en cuir où j'avais dissimulé des émeraudes achetées au port des Sages, mais lui aussi avait disparu. Je me suis alors péniblement traîné jusqu'au campement pour constater que les Bédouins étaient partis sans laisser de trace. Comme j'étais à bout de forces et que je n'avais plus ni eau ni nourriture, j'ai défailli de nouveau.

Rubin marqua une pause avant de conclure :

– Quelques jours plus tard, le hasard a voulu que je sois sauvé par un groupe de marchands qui faisait route par là. Bien du temps s'est écoulé depuis, mais une chose

est sûre : jamais je n'oublierai le fleuve des Mirages ni la femme qui s'est jouée de moi.

Frappés par le récit de Rubin Blue, tous gardèrent le silence.

Tandis que la princesse fixait le jeune homme avec un mélange de curiosité et d'intérêt, la légende de la cité d'Agar et le lieu mystérieux et fascinant que constituait ce méandre du fleuve des Mirages enflammèrent l'imagination de sa cousine. Elle fantasma sur les trésors mentionnés par Rubin Blue et erra mentalement dans les rues du port des Sages, où cet étranger à l'existence si palpitante avait acheté, à Dieu sait quel prix, le jus de grenade qui l'avait perdu.

S'apercevant que leur invité finissait de raconter une nouvelle histoire, elle s'arracha à ses rêveries.

Il venait d'évoquer son expédition dans les plus profondes mines de sel des Cinq Royaumes, à la recherche d'un précieux brillant.

– Pour un homme aussi jeune, vous en avez vu de belles, Rubin ! s'exclama le Grand-Père.

– En effet, pour l'instant, je ne peux pas dire que ma vie soit monotone ! répondit l'étranger en souriant.

– Ces mines de sel se trouvent au royaume de l'Obscurité, n'est-ce pas ? observa Samah.

– Exact.

– Certainement avez-vous eu l'occasion d'y rencontrer la princesse Diamant !

Le sourire de Rubin s'évanouit et son visage s'assombrit.

– J'en ai entendu parler ! répliqua-t-il évasivement.

Guère convaincue par sa réponse, Samah préféra en rester là. Relevant une certaine effervescence dans la cour, elle déclara :

– Eh bien, le moment me semble venu de passer à la danse !

Tous s'en réjouirent et les musiciens se mirent à jouer un air entraînant. Les invités quittèrent les tables, que les serviteurs s'empressèrent de retirer.

Durant le banquet, Daishan avait interrompu ses rêveries pour lancer de furtifs coups d'œil au garçon assis quelques tables plus loin parmi les siens.

Coups d'œil auxquels celui-ci avait répondu par de radieux sourires.

La danse serait l'occasion idéale de s'approcher de lui sans trop attirer l'attention de sa famille.

Se tournant vers Samah, elle lui demanda :

– Avec qui ouvriras-tu le bal, cette année ?

– Avec un marchand, comme le veut la tradition.

– Puis-je me porter volontaire ? s'enquit Rubin.

– Pourquoi pas, répondit la princesse, amusée.

Samah et l'étranger se levèrent et, quand leur table fut écartée, se mirent à évoluer ensemble, aussitôt imités par d'autres couples.

Rubin guidait Samah d'un pas sûr et prévenant. Son bras était ferme et ses vêtements sentaient le gingembre et le miel. En cet homme se conjuguaient de manière étrange l'énergie et la douceur. Samah et lui virevoltèrent, plaisantèrent et rirent comme deux amis de longue date.

Entre-temps, Armal avait invité la fille d'un marchand à danser. Quant au Grand-Père, selon ses propres dires, il s'était retiré pour dormir, mais on ne pouvait exclure qu'il ait entamé l'écriture d'une nouvelle histoire, peut-être inspirée du récit du voyageur qui avait partagé sa table ce soir-là.

Daishan, enfin, décida de s'asseoir dans un coin de la galerie en espérant que Yuften la rejoindrait. Et celui-ci ne se fit guère attendre.

– Ainsi, tu es la cousine de la princesse Samah ?

– Eh oui ! Et toi, pourquoi étais-tu fâché ? Tu avais un air si grave, tout à l'heure…

– Non, ce n'était rien. J'étais simplement surpris.

Quelques pas de danse

Soudain, il éclata de rire.

– Qu'y a-t-il ? voulut savoir Daishan.

– Tu sais, le garçon qui était assis à côté de toi…

– Mon frère Armal ?

– Oui, je pensais que c'était un prétendant… ou pire, ton fiancé.

– Je suis trop jeune pour me marier ! répliqua la jeune fille, également prise d'hilarité.

– Quel âge as-tu ?

– Dix-huit ans.

– C'est peut-être trop tôt pour se marier, mais pas pour tomber amoureux.

Comme toutes les filles de son âge, Daishan rêvait de connaître un prince du désert capable de ravir son cœur, mais elle n'était pas pressée. «Je le rencontrerai au moment voulu», aimait-elle à se répéter.

Pourtant Yuften l'intriguait. Il était sympathique et gentil, avait bon cœur et ce qu'il disait ne manquait pas d'intérêt…

Sans perdre de temps, celui-ci lui demanda :

– Tu veux danser ?

Daishan regarda la cour se vider. Comme chaque année, les danses ne s'étaient guère prolongées. Après leur fatigant voyage et le riche banquet offert par la princesse, beaucoup de marchands ressentaient le besoin d'aller se coucher. Le lendemain, une grosse journée les attendait et aucun ne voulait rater de bonnes affaires pour cause de sommeil en retard.

La jeune fille vit Samah saluer les derniers invités.

– Je crains que pour moi aussi l'heure soit venue de regagner ma chambre, répondit-elle.

Tout en acquiesçant, Yuften revint à la charge.

– Est-ce que nous nous reverrons ?

– Peut-être.

– Où ? Quand ?

– Je l'ignore ! Mais… bientôt certainement. Bonne nuit ! abrégea-t-elle en riant.

Un instant plus tard, elle avait disparu sous les arcades, ne laissant dans son sillage que le tintement de ses bracelets en argent.

Yuften ferma les yeux et écouta ce son cristallin jusqu'à ce qu'il s'éteigne dans la nuit.

Alors il décida qu'il ferait tout son possible pour conquérir le cœur de la jeune fille.

10
Une nuit d'insomnie

La petite cité de Rochedocre avait connu une bien longue journée. Satisfaits du banquet et des danses qui l'avaient suivi, les marchands étaient allés se coucher, certains dans des auberges, d'autres sous leurs tentes plantées au pied du piton. Pour ces derniers, il ne s'agissait pas d'un pis-aller, mais d'une façon de voyager ancrée dans leurs habitudes : en pleine traversée du désert, on ne pouvait guère s'imaginer trouver un lit et tout le confort des villes !

Yuften et sa famille bénéficiaient de l'hospitalité d'un lointain parent, qui leur avait installé des nattes sur le toit en terrasse de sa maison. Le père, la mère et le frère du jeune homme s'endormirent immédiatement, mais

lui-même ne put fermer l'œil : incapable de dormir, il se tournait d'un côté puis de l'autre, hanté par l'image de Daishan. Au-dessus de lui, d'innombrables étoiles dessinaient d'étranges figures sur le fond noir de la nuit. Le jeune homme tenta de se distraire en repérant les constellations qu'il connaissait et donna des noms à celles qu'il ne connaissait pas. Soudain, il entendit du bruit, de la musique.

On eût dit les lointains accents d'une flûte.

Bercé par cette douce mélodie, Yuften tendit l'oreille. Alors, le sommeil qu'il avait tant cherché le prit par surprise.

~*~

Au dernier étage du palais, assise sur la balustrade d'une grande terrasse, la princesse jouait de la flûte en direction du désert.

Cet instrument appartenait à sa famille depuis plusieurs générations. Samah l'avait reçue directement du Roi sage, contre la promesse de perpétuer une tradition vieille de plusieurs siècles.

La jeune fille jouait les yeux fermés, inspirée par ses pensées et par le vent qui caressait son visage.

Une nuit d'insomnie

Un gros hibou s'était posé sur le parapet et écoutait, comme envoûté, le son du précieux instrument.

Quand le morceau fut terminé, une silhouette élancée s'avança vers la princesse. Percevant une présence, celle-ci ouvrit les yeux. Voyant qui c'était, elle écarta la flûte de ses lèvres et sourit.

– Je ne voulais pas t'interrompre, ma chère enfant ! entendit-elle.

– Tu ne me déranges pas, grand-père !

S'approchant de l'unique torche qui éclairait la véranda, le vieil homme s'assit à côté de sa petite-fille.

Posant son profond regard sur elle, il commenta :

– L'air que tu as interprété était bien triste…

La princesse baissa les yeux.

– Pourtant, tu semblais t'être amusée en compagnie de notre invité, non ? poursuivit-il.

– C'est un individu fascinant, mais il y a quelque chose en lui que je n'arrive pas à saisir. C'est bizarre…

Amar l'observa, songeur.

– Aujourd'hui, j'ai commencé à écrire une histoire qui parle d'une fille belle et charmante, forte et courageuse, capable d'accomplir de grandes choses.

– Une personne comme il y en a peu.

– Indéniablement. Mais parfois, elle est triste, car il lui manque le plus important.

– Quoi donc ?

– L'amour, ma douce. C'est l'ingrédient le plus précieux de l'existence !

– Je le sais, grand-père. Mais il ne pousse pas sur les arbres, répondit-elle en fixant un citronnier proche. Ce n'est malheureusement pas un fruit !

– Justement si ! Il s'épanouit du jour au lendemain, là où on l'attend le moins. Pense à nos fameux pêchers !

– Mais c'est Helgi qui les a plantés, il y a des années !

– Peut-être, mais nul autre que lui n'aurait entrepris de les faire croître en plein désert. Et pourtant…

– Tu veux dire qu'Helgi est magicien ?

– Pas du tout, mon enfant ! C'est seulement quelqu'un qui aime la terre, l'écoute et la respecte : c'est pour cette raison que tout ce qu'il sème donne des fruits ! Au royaume des Glaces éternelles, il a planté un arbre

extraordinaire qu'on appelle le Grand Arbre. C'est le seul végétal qui résiste au climat polaire de cette contrée.

– Le Grand Arbre… j'en ai entendu parler. Mais comment survit-il par un tel froid ?

– Il pousse au fond d'une grotte, qui l'en protège. Mais ce n'est pas cela qui le rend si fabuleux…

– Ah non ?

– Non, sa véritable originalité réside dans le fait qu'il porte des fleurs et des fruits de toutes les espèces !

S'égarant au-delà de la silhouette d'Amar, le regard de Samah se dirigea vers le cœur de la nuit. Comme elle aurait aimé voir le Grand Arbre, la petite Nives et ses trois autres sœurs ! Elles lui manquaient tant…

Certains jours, la nostalgie que lui inspirait sa famille éclatée la faisait terriblement souffrir. D'autres jours, elle regrettait en outre de n'avoir personne avec qui partager ses joies et ses soucis.

Amar sembla lire dans ses pensées.

– Je sais que parfois tu te sens seule, même si Daishan, Armal, moi et toute la cour sommes à tes côtés.

– Ce n'est pas vrai : je suis heureuse avec vous.

– Toi aussi, tu trouveras l'amour, ma chère petite.

– Pour l'instant, je n'en ai pas besoin, répliqua

sombrement la jeune fille, qui avait toujours du mal à évoquer ses émotions.

– Tu verras, il se présentera au moment le plus inattendu.

Son grand-père lui donna un baiser sur le front et se leva.

– Attends ! l'arrêta Samah. Tu ne m'as pas encore dit ce qui arrive à la jeune fille.

– Je ne sais pas, je n'en suis pas encore là. Mais je te promets que ce sera une belle histoire, poignante et pleine d'aventures !

La princesse sourit. Le sage Amar pouvait voir venir la tempête quand le ciel était encore serein. Peut-être pressentait-il un étonnant changement pour elle aussi.

11
Le chant du coq

Le coq du vieux Fadil, l'homme le plus âgé de Rochedocre après Amar, lança son cocorico quelques minutes plus tôt que d'habitude.

Bien entendu, personne ne s'en aperçut à part son maître, qui l'avait longuement entraîné à être ponctuel et en tirait une grande fierté. Chaque jour, il contrôlait l'exactitude de son chant à l'aide de clepsydres automatiques de sa fabrication.

Ce matin-là pourtant, le volatile ne chanta pas à la bonne heure, ce qui, aux yeux de Fadil, ne fut pas de bon augure.

Peut-être cela annonçait-il de sombres événements.

Néanmoins, Rochedocre s'anima comme n'importe

quel autre jour, et ses rues ne tardèrent pas à se remplir de monde. Des nomades et des habitants des oasis étaient arrivés dans la nuit pour échanger ou acquérir des marchandises au marché des Sables, si bien que la population de la petite cité avait quasiment doublé !

L'air était chargé des senteurs du marché : épices, essences, bois odorants, fruits secs, vapeurs d'encens. Les étals montés sur la place centrale exhibaient tissus, joyaux, ustensiles en tout genre, tapis et même des portes en bois merveilleusement sculptées par les habiles artisans du désert.

Drapée dans une cape pour ne pas être reconnue, une jeune fille traversa en courant ce tourbillon de parfums et de couleurs.

Ce n'était autre que Daishan.

Levée très tôt, elle avait enfilé une tunique indigo, pris quelques pièces et s'était aventurée hors du palais avant qu'on puisse la remarquer et lui demander où elle allait.

Lorsqu'elle parvint au bout de la ruelle menant à la place, elle se tapit au coin d'une maison afin de pouvoir épier sans être vue.

L'après-midi précédent, elle avait sillonné le marché en compagnie de son frère, moins pour se promener, comme elle le prétendait, que pour localiser l'étal de la

famille de Yuften. Celui-ci donnait en plein sur la fontaine des Merveilles.

Ayant décidé de faire une surprise au jeune homme, Daishan avait à présent du mal à tenir en place.

Pointant le nez vers la place, elle repéra aussitôt son admirateur. Elle s'attarda sur ses yeux noirs, perçants comme ceux d'un aigle, sur son visage lumineux et sur sa tunique sombre, qui faisait partie de la garde-robe des hommes pleinement adultes.

La lumière du matin conférait à la peau bronzée du

jeune homme un éclat particulier. Daishan le fixait depuis quelques secondes lorsqu'il leva la tête et la vit. Tous deux se dévisagèrent en silence, puis la jeune fille se rencogna dans sa cachette en tressaillant. Cherchant à ralentir les battements affolés de son cœur, elle commençait à s'éloigner, quand dans son dos résonna le mot…

– Bonjour !

Yuften se posta devant elle.

– Bon… bonjour ! répondit-elle en rougissant jusqu'aux oreilles.

– Je ne m'attendais pas à te revoir aussi vite.

– C'est que… je suis sortie tôt parce que, eh bien… j'aimerais acheter un petit cadeau… Pour ma cousine Samah, vois-tu.

– Quel genre de cadeau ?

Balayant du regard ce qui l'entourait, Daishan aperçut des bijoux sur un étal proche.

– Un collier.

– Si tu veux, je peux t'en montrer quelques-uns.

– Volontiers ! dit la jeune fille, soulagée de s'être trouvé une excuse.

Yuften la conduisit jusqu'à l'emplacement réservé à sa famille, où étaient déjà assis son frère et sa mère.

– Bienvenue, Daishan, ta présence nous honore ! la salua celle-ci.

Un brin timide, Nuasef se contenta de sourire.

– Notre amie aimerait offrir un collier à la princesse, expliqua Yuften. J'aimerais lui faire voir nos plus belles pièces : celles en bois et en argent !

Craignant ce que son fils pourrait, cette fois encore, inventer, la mère acquiesça en s'efforçant de prendre un air dégagé et sortit d'un sac en soie de splendides bijoux.

– Ils sont plus beaux les uns que les autres ! s'exclama la jeune fille, avant de les manipuler, un à un, d'une main hésitante.

– D'après moi, celui-ci conviendrait parfaitement à ta cousine, suggéra Yuften, au bout d'une minute.

Il désignait un collier présentant une alternance de perles en bois et de rondelles en argent repoussé.

– Je suis d'accord : il lui plaira beaucoup ! Combien vous dois-je ?

– Rien ! assura le garçon en prenant sa mère de vitesse.

Celle-ci se mordit les lèvres pour ne pas laisser échapper un soupir.

– Ta cousine s'est montrée

si généreuse que nous aurions grand plaisir à le lui offrir, ajouta le jeune homme, imperturbable.

– M-mais… balbutia Daishan en regardant la marchande à la peau brûlée par le soleil et Nuasef, qui, fort embarrassé, gardait les yeux rivés au sol.

– Mon fils a raison, concéda la mère en essayant de ne pas penser à la valeur du précieux bijou. C'est une excellente occasion de remercier la princesse de son hospitalité.

– Si c'est ainsi, je n'insiste pas… Je raconterai tout à Samah, qui en sera très touchée !

Yuften lui adressa un sourire aussi chaleureux et lumineux que le jour qui s'annonçait.

– À présent, je dois rentrer au palais. Je vous remercie infiniment ! acheva la jeune fille en s'adressant à la mère et au frère de Yuften, avant de prendre congé.

– Reviens nous voir bientôt ! répondit aimablement la marchande.

– Puis-je te raccompagner ? demanda Yuften en lui tendant le collier, déjà rangé dans une petite bourse en soie colorée fermée par un cordon de lin brut.

– Volontiers, merci ! souffla-t-elle en glissant le sachet dans un pli de sa cape.

En traversant la place pleine de monde et de

marchandises, Yuften prit instinctivement la main de Daishan pour ne pas la perdre.

La jeune fille le regarda sans mot dire. Ce contact, en plus d'être rassurant et plaisant, éveillait en elle un sentiment insolite et troublant, comme elle n'en avait jamais éprouvé.

Lorsqu'ils parvinrent aux portes du palais, Yuften la lâcha.

– Nous voici déjà arrivés ! Quel dommage ! déplora-t-il. Le temps passe à toute allure quand nous sommes ensemble !

– C'est vrai.

– Je sais que je te demande toujours la même chose, mais penses-tu que nous pourrons nous revoir ? Je ne suis là que pour deux jours. Si tu me cherches, tu me trouveras à l'étal de mes parents, ou dans la maison derrière. Elle appartient à des gens de notre famille, qui nous y hébergent pour la durée de la foire.

Le cœur de Daishan se remit à battre fort.

– Sauf bien sûr si tu as d'autres obligations… ajouta-t-il pour ne pas paraître trop insistant.

La jeune fille ne put résister au sourire avec lequel il prononça ces paroles.

– Tout à l'heure, j'irai aux bains avec ma cousine ; en

revanche cet après-midi, je pourrai ressortir. Je devrai en avertir Samah, mais je ne préciserai pas que c'est pour te retrouver. Je doute, en effet, qu'elle m'autorise à rester seule en compagnie d'un inconnu.

Le jeune homme fronça les sourcils.

– Alors pour toi, je ne suis toujours qu'un inconnu ?

La franchise de ses manières amusa Daishan.

– Eh bien, oui. Nous venons à peine de nous rencontrer, non ?

Le garçon se rembrunit.

– D'accord, tu es un spécimen plutôt intéressant, je le reconnais… mais un brin susceptible aussi ! ajouta-t-elle.

Yuften poussa un soupir de soulagement. Il avait un tempérament impulsif qui le poussait à toujours dire ce qu'il pensait, mais c'était entre autres sa spontanéité qu'appréciait Daishan !

– Rendez-vous vers le milieu de l'après-midi, alors ? s'enquit-il pour se tirer d'embarras.

– J'y serai !

Sur ces mots, les deux jeunes gens se séparèrent, rêvant déjà, dans le secret de leur cœur, du moment où ils se reverraient.

Dans les étages du palais, quelqu'un avait assisté à toute la scène et tout entendu.

12

Rêves brisés

Il était presque neuf heures quand Daishan frappa à la porte de Samah.

– Entrez ! dit la princesse.

D'un pas joyeux, presque dansant, la jeune fille pénétra dans la chambre de sa cousine. Elle avait l'air particulièrement réjouie.

Encore assise sur son lit, Samah souleva un sourcil étonné : cela faisait longtemps qu'elle ne l'avait vue aussi rayonnante.

– Bonjour, Samah ! la salua Daishan en lui plaquant un baiser sur la joue.

Daishan ne se livrait à des manifestations d'affection que lorsqu'elle était vraiment heureuse… observa encore la princesse.

« Il y a anguille sous roche », se dit-elle.

– Tu es gaie comme un pinçon, aujourd'hui ! Aurais-tu fait de beaux rêves ?

Rougissant, Daishan réfléchit brièvement avant de répondre :

– Ma foi… oui, on peut dire cela.

Samah en fut d'autant plus intriguée.

– Je peux savoir de quoi tu as rêvé ?

– D'un prince du désert… répliqua sa cousine en souriant.

– Ah oui ? Et comment était-il ? s'enquit Samah, qui dans le fond aimait les histoires romantiques.

– Beau et fort, avec les yeux sombres et fiers d'un chevalier.

– Un vrai prince, en effet. Il ne lui reste plus qu'à se présenter ici pour demander ta main…

– Espérons que ce sera pour bientôt !

Samah tressaillit.

– Tu ne penses pas qu'il vaudrait mieux attendre ?

– Pourquoi ?

– Parce que tu es encore jeune, Daishan !

Sa cousine baissa les yeux et ses pensées s'envolèrent au loin.

Des rayons de soleil commençaient à se frayer un chemin entre les rideaux de la fenêtre qu'agitait une légère brise.

– Aujourd'hui, il va faire très chaud. Je propose de descendre en cuisine et de manger quelques fruits avant d'aller aux bains, suggéra Samah.

Les thermes du palais, réservés à la cour et aux hôtes de marque, étaient le royaume de l'eau, de la vapeur et des boues relaxantes, qui supprimaient les douleurs et procuraient bien-être et santé.

– D'accord ! approuva Daishan.

Elle toucha le sachet contenant le collier qu'elle avait rangé dans sa tunique, mais décida que le moment n'était pas encore venu de l'offrir à sa cousine.

La princesse se lava le visage avec l'eau d'une cuvette

posée sur la table peinte, s'essuya avec une serviette en lin blanc et enfila un pantalon ainsi qu'un corsage turquoise.

– Nous pouvons y aller ! déclara-t-elle enfin en attachant ses cheveux avec un cordon, qui se perdit dans son abondante chevelure.

Les cousines descendirent le large escalier et traversèrent le premier étage, occupé par les salons de réception. Celui que l'on appelait la salle de la Voûte céleste était le préféré de Samah. Il s'agissait d'une pièce immense, dont le plafond reproduisait à la perfection le ciel étoilé. Toute petite déjà, la princesse aimait à se coucher sur le sol pour l'observer et graver dans sa mémoire la position des étoiles. Puis, la nuit venue, elle s'amusait à les retrouver dans le firmament. Lorsque certaines demeuraient invisibles, elle interrogeait son grand-père pour en connaître la raison et il lui expliquait patiemment les lois de l'astronomie.

Ces doux souvenirs lui revenaient chaque fois qu'elle pénétrait dans ce salon ou se contentait de passer devant, comme aujourd'hui.

Les deux jeunes filles descendirent encore d'un étage. Les cuisines occupaient un vaste espace au rez-de-chaussée, à côté du garde-manger et du moulin où l'on produisait de la farine pour toute la ville.

Rêves brisés

Juste au-delà des arcades, qui, aux heures les plus chaudes, ménageaient un peu d'ombre aux cuisines, s'affairaient une dizaine de serviteurs. Dès qu'ils aperçurent Samah et Daishan, ils leur prodiguèrent mille et une attentions.

Les deux jeunes filles prirent un petit déjeuner léger, composé de dattes sèches et de fruits frais.

Voyant sa cousine pensive, Samah la réconforta :

– Ma chère Daishan, ne t'assombris pas ! Je suis sûre que tes rêves se réaliseront. Tu dois simplement être patiente !

Daishan n'en doutait pas, mais la patience n'était pas son fort. Le seul fait de penser à Yuften l'agitait. Elle aurait donné n'importe quoi pour accélérer la course du soleil dans le ciel et avancer l'heure de sa rencontre avec celui dont le sourire touchait son cœur comme la plus douce des mélodies… Mais comme elle n'avait d'autre solution qu'attendre, elle se persuada qu'une saine réflexion dans les eaux vaporeuses des thermes lui ferait du bien.

13
Les thermes

Avant d'entrer dans les différents espaces des thermes, il fallait passer par un bassin ovale qu'alimentait une eau tiède jaillie du sol. Samah et Daïshan enfilèrent des maillots en coton blanc, s'immergèrent l'une après l'autre, puis s'essuyèrent avec des serviettes en lin.

Les deux jeunes filles gagnèrent ensuite le tepidarium, saturé d'air chaud et légèrement humide. Derrière des grilles situées de part et d'autre de la vaste salle coulait de l'eau bouillante, qui réchauffait de longues banquettes couvertes de mosaïques ; au centre, des fontaines d'eau gazouillante recréaient les bruits de la nature.

Samah et Daishan s'installèrent sur l'un des bancs. Le

silence ouaté qui les enveloppait semblait lourd de pensées et de réflexions.

– Samah, si tu es d'accord, j'irai au marché cet après-midi ! lança sa cousine.

– Bon. Est-ce qu'Armal t'accompagnera ?

– Je peux très bien y aller toute seule.

– Bien sûr, mais tu serais plus en sécurité avec ton frère, non ?

Daishan ne répondit pas immédiatement.

– Depuis quand dois-je circuler avec un garde du corps ? demanda-t-elle enfin.

– Et depuis quand le marché t'intéresse-t-il tant ?

– On y voit un tas de choses nouvelles.

– Je comprends…

La princesse prit une profonde inspiration avant d'ajouter :

– … cependant n'oublie jamais qui tu es, Daishan, quels que soient tes projets. Mon père, le Roi sage, ne cessait de me le répéter ; et il me l'a redit le jour où il m'a expliqué que je devrais désormais vivre ici, loin de mes sœurs adorées, pour gouverner ce royaume.

– Tu as dû te sentir très triste.

– Au début, oui. Mais une princesse ne doit pas s'arrêter à ce qu'elle ressent : elle doit penser avant tout au

bien de son peuple. Au bout d'un moment, je me suis dit que je pouvais être fière de la mission qui m'avait été confiée et que je tâcherais de l'accomplir de mon mieux, quel qu'en soit le prix.

Samah se leva pour se rendre dans l'espace suivant, suivie de Daishan, qui réfléchissait sans mot dire à la recommandation de sa cousine.

Dans le caldarium régnait une température encore plus élevée. Une domestique aida la princesse et Daishan à se frotter le corps avec un savon à base de palme, puis les deux jeunes filles s'assirent sur de petits tabourets en bois et s'adossèrent au mur, également chaud.

– Elles te manquent beaucoup ? demanda Daishan à brûle-pourpoint.

– Qui ?

– Tes sœurs.

– Énormément. Mais nous ne devons plus nous rencontrer ; c'est une règle qu'il nous faut respecter pour le bien de tous. Sauf si…

Ses paroles moururent sur ses lèvres.

– Si ?

– S'il se passait quelque chose de très grave.

– Mais, si jamais cela arrivait, comment feriez-vous

pour communiquer ? Les Cinq Royaumes sont très éloignés les uns des autres.

– En effet.

Après un instant de réflexion, Samah décida d'en dire plus :

– Il y a des choses dont je ne t'ai jamais parlé, Daishan… Pour vous protéger, toi et ton frère… Mais à présent, vous êtes assez grands pour les connaître.

Daishan redoubla d'attention.

– Il existe des raccourcis. Ce sont des passages secrets, que seules mes sœurs et moi connaissons et qui permettent de passer très rapidement d'un royaume à l'autre. Nous avons promis de ne les utiliser qu'en cas de danger.

– Des passages secrets ? Quelle merveille ! Quand Armal l'apprendra, il voudra aussitôt les explorer !

– Ce n'est pas un jeu, Daishan ! On ne peut les emprunter qu'en cas d'urgence.

– Tu ne veux pas me dire où ils se trouvent ?

– Je ne peux pas : ce serait violer le serment que j'ai fait à mon père, il y a bien des années, et exposer mon royaume à un énorme risque !

– Dis-moi au moins combien il y en a !

Les yeux de Daishan brillaient d'une telle lumière que la princesse ne put y résister. Au fond, raisonna-t-elle, cette seule information ne pouvait compromettre la sécurité du dispositif.

– Deux : un qui donne accès au royaume du Désert et un qui permet d'en sortir.

– Et il en va de même dans les autres royaumes ? s'enquit encore Daishan, de plus en plus intéressée.

– Je pense que oui.

– Nos passages... à quels autres royaumes sont-ils reliés ?

– Tu ne trouves pas que tu poses trop de questions ?

– Peut-être, mais si un jour Rochedocre était menacé sans que tu sois présente, comme ferais-je pour le protéger ?

– Très malin de ta part, je le reconnais, mais je ne

te le dirai pas. Allez, c'est le moment de passer au frigidarium !

Cette dernière salle était occupée par une piscine d'eau fraîche, dans laquelle les deux cousines s'immergèrent jusqu'au cou.

– Samah, tu es vraiment sûre de vouloir t'en tenir là ? Je t'en prie !

– Oh, ce que tu es curieuse !

Samah se laissa flotter un long moment, avant de continuer :

– Bon, le premier passage, celui d'entrée, est rattaché au royaume des Coraux, sur lequel règne Kaléa, la deuxième de notre fratrie.

– Comment est-elle ?

– Très belle. Elle a de longs cheveux roux et de grands yeux verts. C'est la fille la plus douce que je connaisse : elle est toujours aimable et de bonne humeur !

Le regard de Samah se voila de larmes.

Daishan s'en aperçut et se mordit les lèvres.

– Pardonne-moi, je ne voulais pas te faire de peine.

– C'est tout le contraire : j'ai beaucoup de plaisir à parler de mes sœurs ! Tu vois la fontaine des Merveilles sur la place centrale ?

– Oui.

– Eh bien, ses coquillages proviennent du royaume des Coraux. Chaque fois que je les vois, je pense à Kaléa.

La princesse marqua une pause, puis reprit :

– Il y a ici d'autres objets importants rappelant l'union entre les Cinq Royaumes. Comme il ne nous est pas facile à mes sœurs et moi de vivre séparées, ces objets nous permettent de rester proches, en quelque sorte.

– Vraiment ? De quoi s'agit-il ?

– Chaque chose en son temps, Daishan. L'impatience ne mène jamais loin.

– Encore une phrase de ton père ?

– Non, celle-ci est de moi !

Toutes deux éclatèrent de rire, puis Daishan revint à la charge :

– Bon, bon. Mais dis-moi au moins quelque chose à propos du second passage… celui de sortie !

– Il mène au royaume des Forêts, gouverné par Yara, la plus jeune d'entre nous.

– Ce n'est pas dangereux pour elle de vivre seule là-bas ?

– Pas du tout ! Elle est entourée de sa cour. De plus, elle est forte comme un tigre !

– Elle s'entendrait bien avec Armal s'ils se rencontraient…

Le regard de Samah se perdit à la surface plane de l'eau. Penser que sa famille était condamnée à vivre divisée la rendait toujours mélancolique.

– J'ai dit quelque chose qu'il ne fallait pas ?

– Non, rassure-toi. C'est toi qui as raison : un jour, nous nous retrouverons. Et ce sera le plus beau jour de nos vies !

~*~

Samah et Daishan quittèrent le frigidarium pour une pièce plus intime, où les attendaient des tables de massage, près desquelles se tenaient deux jeunes femmes.

Celles-ci les badigeonnèrent d'huiles chaudes et d'essences odorantes, avant de pétrir vigoureusement leurs muscles.

Les deux cousines passèrent plus d'une heure en silence, chacune ruminant le contenu de leur conversation. La princesse espérait que ses sœurs allaient bien et étaient heureuses, tandis que Daishan rêvait aux passages secrets et aux royaumes auxquels ils menaient.

Lorsqu'elles ressortirent des thermes, toutes deux avaient l'esprit serein et la peau douce et parfumée.

– Samah ?

– Oui ?

– Merci de m'avoir raconté tout cela.

– Je l'ai fait bien volontiers, Daishan, mais rappelle-toi : c'était une preuve de confiance à ton égard, veille à ne pas la trahir !

– Compte sur moi. Et à propos de confiance, je peux aller au marché, cet après-midi ?

– D'accord. Mais surtout fais attention !

Regardant sa cousine s'élancer dans les escaliers en direction de sa chambre, Samah songea à ce qu'elle lui avait révélé. Qu'est-ce qui l'avait poussée à le faire, après avoir conservé ce secret à l'abri de son cœur pendant toutes ces années ?

Peut-être sentait-elle que Daishan avait grandi et qu'il était temps, pour elle aussi, d'assumer des responsabilités ?

En lui divulguant des informations d'une telle importance, Samah mettait la maturité de sa cousine à l'épreuve. Tout au moins voulait-elle s'en convaincre.

En vérité, une part d'elle avait été si longtemps oppressée par ce savoir caché qu'elle avait parlé dans l'espoir de se soulager quelque peu.

Mais elle demeurait inquiète. Malgré ses efforts pour

justifier les confidences faites à sa cousine, il lui était impossible de trouver la paix !

Avait-elle manqué de vigilance ?

La responsabilité d'un royaume n'était pas une mince affaire, elle le savait parfaitement. Son tempérament attentif et circonspect avait fait d'elle une princesse avisée, mais dans les moments d'incertitude, elle se sentait seule… et aurait apprécié un peu de soutien et de conseil. Confrontée à des décisions difficiles, elle aurait aimé avoir à ses côtés quelqu'un qui lui dise quoi faire !

Remâchant ces pensées, Samah laissa échapper un soupir.

Sa cousine, qui avait déjà gravi deux étages sans presque toucher terre, faillit tamponner le Grand-Père.

– Où cours-tu, ma chère petite ?

– Je dois me préparer : tout à l'heure, je vais au marché !

Le vieil homme ne fit aucun commentaire, mais surprit une étincelle d'émotion dans le regard de Daishan.

– Sois prudente ! se contenta-t-il de lui recommander en posant une main sur son épaule.

14
Le mystérieux objet

ubin Blue se leva de bonne heure pour se rendre au marché des Sables. Là, il passa chaque étal au crible et questionna tous ceux qu'il rencontrait, sans trouver la moindre trace de l'objet mystérieux.

L'après-midi, il rentra au palais pour réfléchir à la marche à suivre.

Arpentant sa chambre de long en large, il laissa libre cours à ses pensées. Lorsqu'il s'était mis en route pour Rochedocre, il était certain de parvenir à mettre la main sur ce qu'il cherchait sans aucune difficulté. Mais après avoir exploré le marché de fond en comble sans relever le plus petit indice, ses certitudes commençaient à vaciller.

Et si la personne qui l'avait chargé de ce travail lui avait fourni de mauvaises indications ?

À moins que l'objet de sa quête ne fût caché ailleurs ? Pourquoi pas dans la résidence royale ?

Il ne pouvait abandonner sans avoir exploré cette piste : il devait absolument le dénicher. Pas question de renoncer !

Rubin redescendit dans la cour. Il déambulait sous les arcades, quand une voix parvint à ses oreilles :

– … fais attention, je t'en conjure !

C'était la princesse Samah. Parfait ! Qui mieux qu'elle pouvait le renseigner !

Il s'empressa de la rejoindre.

– Rubin Blue ! Je vous croyais à la foire ! s'exclama-t-elle, surprise de le croiser chez elle à cette heure.

S'il devait se procurer un article rare, comme il l'avait raconté la veille, pourquoi n'était-il pas en prospection ?

Samah l'examina de plus près : il n'était vêtu que d'une chemise et

de pantalons larges. Sans sa veste de voyage, il semblait plus maigre. Et plus jeune.

– Je viens de rentrer, répondit-il.

– L'affaire est déjà réglée ?

– Pas encore, princesse. D'ailleurs, j'aimerais vous demander s'il me serait possible de profiter de votre hospitalité une nuit de plus.

– À votre aise ! Faites comme chez vous.

– C'est très aimable à vous. Et permettez-moi de vous dire que votre palais est le plus beau que j'aie jamais vu !

– Merci, Rubin. Venant de vous qui avez tant voyagé, c'est trop d'honneur ! Vous avez dû visiter une multitude d'autres endroits merveilleux… dit la princesse en tentant de s'imaginer à la place du jeune marchand, à peine plus âgé qu'elle.

« Qui sait ce que l'on éprouve à mener une vie aussi aventureuse et… nomade, pensa-t-elle. Lui arrive-t-il, à lui aussi, de se sentir seul parfois ? »

Le jeune homme poursuivit son discours avec une étrange lueur dans le regard :

– Par rapport à tout ce que j'ai pu connaître, votre palais a quelque chose de singulier, je vous l'assure. Ce n'est pas seulement le charme de l'architecture ou l'élégance de la décoration. Il y a quelque chose d'autre, d'insolite. Une atmosphère presque envoûtante qui m'a conquis dès que j'y suis entré…

Samah le regarda sans répondre.

Alors Rubin décida de tenter le tout pour le tout.

– Princesse, confiez-moi votre secret : qu'est-ce qui rend Rochedocre si unique ?

Un temps hypnotisée par le regard bleu qu'il braquait sur elle, elle finit par se reprendre.

– Venez voir de vos propres yeux ! proposa-t-elle en l'invitant d'un geste à la suivre.

Elle le promena à travers tous les salons de réception du premier étage : la salle de la Rose du désert, celle du Roi rhinocéros, celle de l'Eau jaillissante, ainsi que celle de la Fleur vermeille, de l'Oasis imaginaire, des Montagnes enchantées. Chaque pièce était parée de fresques illustrant le thème du salon. Ce déploiement de beautés, en particulier celles du plafond de la salle de la Voûte céleste, impressionna Rubin.

– Tous mes compliments ! s'extasia-t-il. Mais vous ne m'avez pas encore répondu…

Amusée, Samah se dit qu'elle n'échapperait pas sans peine à la curiosité de l'étranger.

– Suivez-moi ! fit-elle.

Elle le conduisit alors sur la terrasse située au dernier

étage, d'où l'on jouissait d'une vue exceptionnelle sur le désert et les montagnes.

– Et voilà, cher ami ! Vous avez vu l'ensemble du palais. Tout est là, offert à vos regards comme le désert qui s'étend à vos pieds. Pour en revenir à votre question, le secret de Rochedocre est… qu'il n'en a pas !

– Je saisis, dit-il en contemplant le paysage au-delà de la balustrade.

Ses yeux avaient perdu l'éclat qui les animait encore quelques instants plus tôt. Il avait l'air profondément déçu et découragé.

– Ces montagnes semblent inaccessibles ! observa-t-il en tentant de dissimuler sa frustration.

– En effet. Ce sont les Versants désolés, un lieu très dangereux où il vaut mieux ne pas mettre les pieds.

– Pourquoi cela ? s'enquit Rubin en soulevant un sourcil.

– On dit qu'il y a encore beaucoup de magie, là-haut.

En entendant ces mots, Rubin tressaillit.

– De la magie, dites-vous ? Intéressant…

– Détrompez-vous ! rétorqua la princesse. De tous ceux qui s'y sont aventurés, rares sont ceux qui ont goûté l'expérience, croyez-moi.

Et d'ajouter pour finir de le convaincre :

– D'ailleurs… la plupart ne sont jamais revenus. Seuls les membres de la famille royale peuvent s'y rendre en toute impunité.

– Entendu, je n'explorerai donc pas les Versants désolés !

– Parfait, Rubin. Vous avez saisi le message. Que diriez-vous de redescendre, à présent ?

Le marchand esquissa un sourire de pure forme. La princesse ne lui avait rien révélé de décisif, et il n'avait rien relevé de particulièrement intéressant au cours de sa visite. Certes, les intérieurs étaient somptueux, mais sans dissimuler d'éléments véritablement précieux à ses yeux.

– Si vous le souhaitez, venez dîner avec nous, ce soir !

– Je vous remercie, princesse, mais la journée a été longue. Je vais avoir besoin d'une bonne nuit de sommeil pour être en forme demain.

– Comme vous préférez, répondit-elle d'un ton plus formel.

– Alors à bientôt, Samah !

Rubin Blue prit la main de la jeune fille et la baisa en braquant sur elle ses yeux couleur océan, puis il s'en alla.

La princesse ne répondit pas.

La façon dont il avait prononcé son nom, sans ajouter le titre de princesse, et l'intensité de son regard bleu lui avaient fait une très étrange impression.

Ce jeune homme était fascinant, on ne pouvait le nier. Mais il y avait en lui quelque chose de fuyant, qui la mettait mal à l'aise.

~*~

Rubin regagna sa chambre, profondément dépité. Il avait donné un coup d'épée dans l'eau et devait

reprendre ses investigations à zéro… Mais où chercher désormais ? Le palais ne recelait apparemment rien.

Lui revinrent alors les paroles prononcées par la princesse un peu plus tôt : « Ici, il n'y a aucun secret. » Puis il revit, comme dans un éclair, la silhouette lointaine des Versants désolés. Là-haut subsistaient des traces de magie, prétendait Samah.

Une intuition illumina le regard du jeune homme : il devait faire une dernière tentative avant de repartir.

Sa décision était prise : bravant tous les interdits, il escaladerait les Versants désolés !

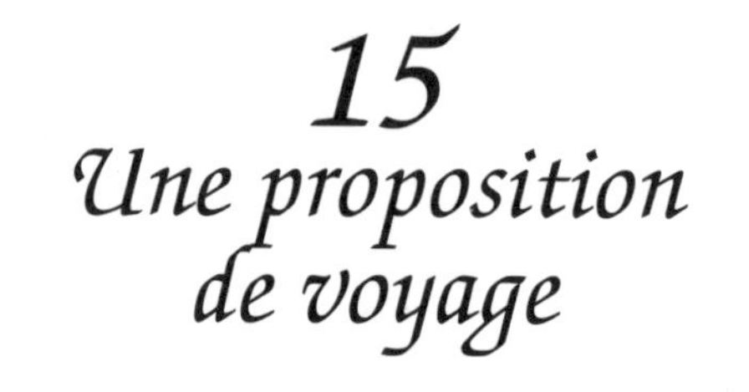

15
Une proposition de voyage

Yuften et Daishan sillonnèrent les rues de Rochedocre en se tenant par la main, comme si le destin les tenait serrés dans ses filets. Ils rirent, commentèrent des scènes amusantes, examinèrent des objets bizarres, et dans les reflets orangés du couchant, visitèrent en grand secret le merveilleux jardin du palais.

– Cet endroit est incroyable ! s'exclama le jeune homme en regardant tout autour de lui.

– Chhhut ! Moins fort ou on va nous surprendre ! l'exhorta Daishan.

Ici et là s'épanouissaient des abricotiers en fleur ainsi que des dattiers ; jasmins et glycines étendaient leurs

rameaux au-dessus de gigantesques magnolias, et au milieu d'eux trônait le majestueux baobab à tronc rouge.

– Je n'ai jamais vu un arbre pareil ! s'extasia Yuften.

– En effet, il paraît que c'est une espèce très rare.

– Son tronc est si gros qu'on pourrait y loger plus d'une personne !

Daishan s'approcha d'une cavité qui fendait la masse de l'arbre et tenta de regarder à l'intérieur. Brusquement, elle recula.

– Qu'y a-t-il ?

– J'ai entendu un bruit ! Peut-être qu'un animal se cache à l'intérieur ?

– Pourquoi pas. C'est le refuge idéal pour… les chauves-souris géantes !

– Arrête de te moquer de moi ! répliqua Daishan en lui donnant une bourrade.

– D'accord, d'accord. Je les ferai déguerpir dès demain matin ! la taquina Yuften.

Les deux jeunes gens se rendirent ensuite dans le verger aux pêchers, le site le plus enchanteur du royaume du Désert.

– C'est vraiment étrange que ces plantes puissent pousser en plein désert ! observa le jeune homme en ramassant dans l'herbe l'une des fameuses pêches de Rochedocre.

– Tout ici est l'œuvre d'un jardinier exceptionnel. Il a découvert dans notre sous-sol des sources qu'il a eu l'idée d'exploiter.

– Tu le connais ?

– Non, je sais seulement qu'il s'appelle Helgi et qu'il vit loin à présent, au royaume des Glaces éternelles.

– Qui prend soin de ce petit paradis alors ?

– La terre et… ma cousine, bien sûr. Je crois que c'est en partie l'amour dont elle l'entoure qui le fait prospérer.

Puis se rappelant une histoire du Grand-Père, elle ajouta :

– On raconte qu'un jour quelqu'un a volé une plante de ce jardin ; dès qu'il a franchi les remparts de Rochedocre, elle a commencé à se dessécher et a fini par mourir.

– Vraiment ?

– Oui, je crois qu'elles ne peuvent vivre qu'ici.

– Et toi, pourrais-tu vivre ailleurs ? lui demanda-t-il, les yeux dans les yeux.

– Oui, j'imagine. Pourquoi cette question ?

– Parce que bientôt je devrai partir, Daishan ! Je devrai retourner dans mon village. Cela signifie que nous ne nous reverrons pas… pendant toute une année !

– Où habites-tu ?

– Dans le Nord, aux confins de la Verte Plaine.

« Loin, effectivement », songea la jeune fille.

– Et alors, que proposes-tu ?

– Eh bien, tu pourrais nous accompagner, ma famille et moi…

– Jusque chez vous ?

– Oui, pourquoi ne pas partir tous ensemble, quand le marché sera fini ? Je suis sûr que mes parents s'en réjouiraient. Pour eux, ce serait l'occasion rêvée de rendre à votre cité l'hospitalité dont elle les comble depuis bien des années. Et toi… tu ferais un magnifique voyage, non ?

– Je… je ne sais pas, Yuften.

– Daishan, qu'as-tu ? Il s'agit juste d'une escapade vers la Verte Plaine ! Imagine un peu : nous longerons

le fleuve des Mirages, et, avec un peu de chance… nous réussirons à discerner les cités reflétées dont parlent les légendes !

– Cela me plairait beaucoup, mais…

– Accepte, Daishan : je te montrerai ma maison et mon village ! Puis, si tu veux, je demanderai à mon père la permission de pousser jusqu'à la mer, tout au bout du royaume ! La mer, Daishan, le souffle de l'infini… la liberté à l'état pur !

– La mer ? Mais je…

– Fais-moi confiance ! Ce sera une expérience fabuleuse !

Partagée et fort troublée, la jeune fille resta silencieuse.

– Daishan, je te donne ma parole qu'ensuite tu retrouveras Rochedocre et tous tes proches ! Ce n'est qu'un voyage, n'aie pas peur… mais qui demeurera à jamais gravé dans mon cœur !

Yuften s'aperçut alors que la jeune fille le regardait d'un air triste et hésitant. Comprenant qu'il avait exagéré, il se mordit les lèvres. Ce n'était pas la première fois qu'il se laissait emporter par sa fougue, mais là il était peut-être allé trop loin.

Quel culot de s'adresser ainsi à une personne de sang royal ! Comment Daishan pourrait-elle se rallier à une

proposition aussi impulsive ? Comment pourrait-elle accepter l'hospitalité d'un fils de marchand alors qu'elle avait tout ce qu'elle voulait ? Au fond, ils ne se connaissaient que depuis… deux jours. Même si la jeune fille lui accordait sa confiance, la princesse ne la laisserait certainement pas partir ; et à sa place, il en ferait autant. Enfin, dans le feu de l'enthousiasme, il avait évoqué ses parents comme s'ils ne pouvaient qu'approuver son projet. Or l'idée venait uniquement de lui, une idée irréfléchie qui avait germé dans un moment d'égarement, quand la peur de perdre Daishan l'avait littéralement submergé.

Mais ce n'était plus le moment de tergiverser : le mal était fait et il fallait le réparer.

– Pardonne-moi, Daishan, je me suis emballé. Je ne sais pas ce qui m'est passé par la tête ; je disais ça comme ça. Tu ne dois pas prendre au sérieux tout ce qui sort de ma bouche !

Daishan était complètement perdue. La suggestion de Yuften la mettait dans une position difficile : d'un côté, elle lui plaisait, de l'autre elle l'inquiétait. Dans ces conditions, impossible de réfléchir.

– À présent, je dois rentrer, sinon Samah va s'inquiéter ! trancha-t-elle d'un ton glacial en tournant les talons.

Frappé par le ton de sa voix, qui ne révélait en rien son véritable état d'esprit, Yuften la retint doucement par le bras.

– Laisse-moi au moins t'accompagner.

– D'accord.

Ils marchèrent jusqu'à l'entrée du palais dans le plus complet silence, chacun repensant à ce qu'ils venaient de se dire. Yuften craignait d'avoir été par trop insouciant et impétueux, tandis que Daishan se reprochait son indécision.

– Je t'en prie, prends le temps d'y réfléchir ! la pria-t-il, une fois parvenu au portail.

– Je ne sais pas, Yuften… Je verrai. Bonne nuit.

Alors que la grande porte en iroko se refermait pesamment, le jeune homme adressa à Daishan un petit signe de main.

La jeune fille gravit l'escalier, le cœur battant.

Une proposition de voyage

Après avoir soigneusement refermé la porte de sa chambre, elle s'allongea sur son lit.

Le frais vent du soir s'insinua par les fenêtres de la pièce. Et avec lui, un insecte, qui s'immobilisa sur la table de chevet en paille tressée. La jeune fille, qui s'était immédiatement endormie, ne put l'apercevoir.

Puis la petite bête redéploya ses ailes et voltigea jusqu'à l'oreiller de Daishan, où elle se posa. Elle commença alors à murmurer une étrange litanie à l'oreille de la jeune fille.

Cet insecte n'était autre que le coléoptère bleu cobalt qui avait sévi aux royaumes des Glaces éternelles et des Coraux. Quiconque eût pu le reconnaître aurait compris qu'une terrible menace pesait sur le royaume du Désert.

Mais en cet instant, nul ne pouvait empêcher l'histoire de suivre son cours.

16
La réponse

Le lendemain matin, Daishan se réveilla de bonne heure et d'excellente humeur. Même si elle avait dû, ce jour-là, affronter la pire tempête de sable, elle n'aurait pu s'empêcher de s'exclamer : « Quelle merveilleuse journée ! »

Tout au long de la nuit, le coléoptère cobalt avait peuplé ses rêves de voix et d'images précises, afin que sa volonté prenne la direction qu'il désirait. Et juste avant son réveil, il s'était envolé.

– Bonjour, bonjour ! gazouillait la jeune fille chaque fois qu'elle croisait quelqu'un dans le palais.

Une telle exubérance éveilla l'attention d'Ajar, le guide officiel de la cour, qui, malgré son caractère réservé, décida de lui demander la cause de son allégresse.

– Ne peut-on être heureux sans raison, Ajar ? lui répliqua-t-elle avec une gracieuse pirouette.

Le regard grave et acéré du guide s'attarda sur elle : sa gaieté soudaine avait quelque chose d'étrange. Mais il est vrai que Daishan était encore jeune et impulsive : peut-être n'y avait-il pas de quoi s'inquiéter.

– Si tu vois Samah, peux-tu lui dire que je sors ? poursuivit-elle. Merci !

– Entendu.

La jeune fille se dirigea vers le portail en fredonnant une petite ritournelle.

~*~

Virevoltant à travers les ruelles, Daishan se sentait aussi légère qu'un papillon. Elle se délectait des couleurs et des parfums de Rochedocre, comme jamais auparavant.

En quelques minutes,

elle rejoignit l'étal tenu par la famille de Yuften. Avec l'aide de son frère, le garçon disposait leurs dernières marchandises sur un drap brodé.

– Gentil vendeur, puis-je m'adresser à vous ? J'aimerais acquérir l'un de vos précieux colliers, dit Daishan en s'efforçant de travestir sa voix.

Yuften leva les yeux et la première chose qu'il vit fut un sourire éblouissant.

– Daishan ! Quel bonheur de te voir ! s'écria-t-il.

Nuasef le fixa avec un sourire entendu, tandis que ses parents échangeaient un regard préoccupé.

– Je passais là par hasard, et j'ai décidé de venir te saluer, poursuivit la jeune fille.

La possibilité que la cousine de la princesse se rende au marché sans intention précise, et à une heure aussi précoce, était hautement improbable, savait Yuften.

– Tu as bien fait ! On se promène un peu ? s'empressa-t-il de proposer.

– Volontiers !

– Je ne pars pas longtemps ! prévint le garçon pour rassurer ses parents.

– D'accord, mais pas de bêtise… répondit sa mère.

Daishan dit au revoir à la famille de Yuften et s'éloigna avec lui.

La réponse

Tous deux attendirent d'avoir franchi le coin de la rue pour se prendre par la main; puis ils se mirent à marcher plus lentement comme pour ralentir le cours du temps. Chacun plongé dans ses pensées, ils promenaient un regard distrait sur ce qui les entourait.

Daishan, en particulier, était très émue : elle s'était réveillée avec la ferme conviction que Yuften était son prince du désert et que le mieux pour elle était de le suivre jusqu'à son village. Il ne restait plus qu'à le lui annoncer…

– Écoute, Yuften, je…

– Je pense savoir ce que tu as l'intention de me dire. Moi aussi, j'ai réfléchi à notre conversation d'hier : j'ai eu tort de te parler de cette manière. Ta vie est ici, à la cour, avec ta famille. Je t'en ai trop demandé; c'était une proposition absurde, je m'en rends compte à présent. Je ne sais pas ce qui m'a traversé l'esprit, mais je te prie, encore une fois, de m'en excuser !

– Attends ! l'interrompit Daishan.

Yuften retint son souffle. Convaincu que la jeune fille ne l'avait pas pris au sérieux la veille, il pensait qu'elle était venue lui exprimer son refus.

– Je… j'accepte ta proposition, déclara-t-elle, étonnée de ses propres paroles.

– Comment ?! répliqua-t-il, abasourdi.

– Oui, j'ai décidé de partir avec vous quand la foire sera finie. Je veux voyager ! J'ai toujours vécu à Rochedocre sans jamais apercevoir, même de loin, ce qui se trouve au-delà du désert des Murmures. Je ne connais de ce royaume que le sable et la pierre.

Le jeune homme sentit sa gorge se nouer : la décision de Daishan le prenait à contre-pied.

Instinctivement, il la serra dans ses bras en s'efforçant d'avoir l'air seulement heureux et reconnaissant. Mais en fait, il était bouleversé : dans son cœur, la peur le disputait à l'émotion !

– Dans ce cas, allons prévenir la princesse, proposa-t-il.

– Non, Yuften. Il vaut mieux que je lui parle d'abord.

– Comme tu veux. Tu la connais mieux que moi. Alors… bonne chance !

Partie au pas de course, Daishan disparut à l'angle d'une maison.

Yuften, quant à lui, ne parvenait pas à croire que son rêve allait devenir réalité.

17
La cousine aînée

amah se réveilla en proie à une étrange agitation. Elle avait fait un rêve dont elle ne se souvenait guère, mais qui n'était pas agréable, elle en était certaine.

En outre, la journée venteuse qui s'annonçait, avec ses bourrasques d'air brûlant ralentissant les mouvements et coupant la respiration, ne contribuait pas à l'apaiser. Son grand-père ne disait-il pas qu'un vent trop chaud n'apporte rien de bon ?

Pour se débarrasser de cette étrange appréhension, elle décida de passer un peu de temps dans le jardin. Elle emporta son panier à outils ainsi qu'une paire de

gants épais et commença à s'occuper d'un cactus aux fleurs rouge vif.

– Tu as vu comme cette terre est dure ! fit-elle remarquer à la plante. Il faut la retourner, sinon tes jeunes racines vont étouffer !

C'était Helgi qui lui avait appris à prendre soin de la végétation.

Quand la princesse était encore petite, le mystérieux jardinier était venu passer quelque temps à Rochedocre pour contrôler la croissance de ses plantations. Certains

de ceux qui avaient travaillé avec lui lors de son précédent séjour lui offrirent alors des semences rares. Ainsi entendaient-ils le remercier du carré de pêchers extraordinaires dont il avait doté Rochedocre ; mais peut-être aussi, comme d'aucuns le prétendaient, se faire pardonner le mauvais accueil qu'ils lui avaient réservé dans le passé.

Cet homme si doué pour faire pousser les graines et les plantes intriguait beaucoup la jeune Samah. Helgi lui enseigna l'importance de parler aux fleurs : certes, celles-ci sont incapables de répondre, mais elles puisent une grande partie de leur énergie dans les mots qu'on leur adresse, lui expliqua-t-il. Tout comme les hommes.

Tandis qu'elle songeait à cette époque lointaine, la princesse remarqua une ombre sur le sol et se retourna. Elle vit alors sa cousine, qui avait l'air radieuse.

– Bonjour, Daishan ! Tu m'aides un peu ?

– Avec plaisir ! répondit celle-ci.

La jeune fille prit un râteau en bois et se mit à rassembler les feuilles mortes. Au bout de quelques minutes d'un travail silencieux et appliqué, elle entendit Samah lui dire :

– J'ai repensé à toi et à ton frère. Vous êtes grands, maintenant.

Sans réagir, Daishan attendit la suite.

– Peut-être est-ce à cause de ce vent, porteur d'obscurs présages, mais… si un jour il devait m'arriver quelque chose…

– Ne dis pas une chose pareille, Samah !

– Tout est possible. Pour parer à toute éventualité, je dois te divulguer un autre secret que je garde depuis longtemps.

– Encore plus confidentiel que les passages entre les royaumes ?

La princesse soupira et se renferma dans un long silence pensif, avant de révéler d'un seul souffle :

– Un objet important est caché dans les Versants désolés.

– Quel genre d'objet ?

– Une petite feuille d'argent, très fine et extrêmement précieuse. Pour notre royaume, elle n'a pas de prix.

– Pourquoi ?

– Peu importe. Si un jour je suis en grande difficulté, allez la chercher, toi et Armal, et rapportez-la à Grand-père. Il saura quoi en faire.

– Où se trouve-t-elle ?

– Tout en haut du second sommet que l'on rencontre en entamant l'ascension de ces montagnes. Vous y

découvrirez cinq pierres disposées en cercle. La feuille est dissimulée sous celle qui est le plus au sud et représente le royaume du Désert.

– Eh bien, on dirait une chasse au trésor !

– Ce n'est pas un jeu, Daishan. Rappelle-toi que cet objet est d'une importance cruciale.

La jeune fille acquiesça, fière de s'être vu confier un tel secret. Même si elle ne lui avait pas expliqué à quoi servait cet objet, Samah se fiait à elle, ce qui, pour Daishan, comptait plus que tout.

Aucune des deux ne releva un infime détail : un coléoptère bleu cobalt posé sur une feuille d'hibiscus. Une rafale de vent secoua le feuillage de l'arbre et l'insecte reprit son vol loin du jardin. Ce qu'il avait entendu lui suffisait amplement.

~*~

Encouragée par la confiance que lui avait témoignée sa cousine, Daishan décida, elle aussi, de passer aux confidences.

– Ce matin, je suis allée me promener au marché. Je voulais t'en prévenir, mais tu dormais encore. J'ai préféré ne pas te déranger.

– Encore au marché ? Il doit être sacrément intéressant, cette année ! s'exclama joyeusement Samah, sans se douter de rien.

Daishan jugea que le moment était venu de lui offrir le collier qu'elle avait choisi pour elle. Lâchant son râteau, elle s'approcha de sa cousine.

– Ce cadeau est pour toi ! lui dit-elle.

– Vraiment ?

– Oui, ouvre-le !

Après avoir retiré ses gants, Samah saisit la petite bourse. Lorsqu'elle en sortit le bijou, ses yeux étincelèrent et ses lèvres se fendirent en un large sourire ébahi.

– Merci, Daishan ! Il est magnifique !

– Il te plaît vraiment ?

– Beaucoup ! Tu m'aides à le fermer ?

Daishan contempla le collier au cou de sa cousine et se réjouit de son choix : il lui allait à merveille !

Quand elles eurent terminé leur travail au jardin, elles rangèrent les outils et se dirigèrent vers leurs chambres.

En gravissant l'escalier, Samah toucha le bijou et remercia de nouveau la jeune fille.

– À quoi dois-je ce présent ? Ce n'est pourtant pas mon anniversaire !

– En fait, il n'est pas que de moi.

– De qui d'autre ?

– D'une famille de marchands, en reconnaissance de ton hospitalité.

– Comme c'est gentil ! Qui sont ces gens ?

Le cœur de Daishan se mit à battre violemment dans sa poitrine.

– À vrai dire, je connais l'un de leurs fils. Il s'appelle Yuften… commença-t-elle en espérant ne pas rougir.

Mais la princesse remarqua immédiatement son trouble.

– … et c'est le fameux garçon dont tu m'as parlé, acheva Samah avec un sourire.

– Oui, c'est lui ! reconnut Daishan en triturant ses bracelets.

– Vous êtes devenus amis ?

– En effet. Il n'est pas comme les autres. Et… eh bien, voilà : il m'a proposé de les accompagner, lui et sa famille, jusqu'à leur village, tout près de la Verte Plaine. Histoire de faire un petit voyage…

La princesse ouvrit des yeux ronds.

– Il t'a demandé de le suivre ?! Mais tu le connais à peine !

– C'est vrai, mais il m'inspire confiance, Samah ! Et pour moi, ce serait l'occasion idéale de découvrir notre royaume. J'ai dix-huit ans et je ne me suis jamais éloignée de Rochedocre, alors que mon frère a traversé le désert une multitude de fois ! Ce n'est pas juste !

La princesse n'en croyait pas ses oreilles.

– Daishan, que t'arrive-t-il ? Je te connais depuis une éternité et je ne t'ai jamais entendue tenir un tel discours ! Tu es sûre d'aller bien ?

– Ce que je te demande n'a pourtant rien d'étrange, me semble-t-il ! Je veux partir avec Yuften et les siens ! Je veux voir le monde ! Quel mal y a-t-il à cela ? Je n'en

peux plus de rester recluse entre ces quatre murs ! Tout ce sable me monte à la gorge, j'étouffe !

– Si tu as tant envie de voyager, pourquoi ne me l'as-tu pas dit plus tôt ? Sois patiente, Daishan, dès que la foire sera finie, nous organiserons une expédition jusqu'au port des Sages, à l'autre bout du royaume. Toi, moi, Armal et grand-père…

– Mais tu ne comprends donc pas ?! Je veux vivre cette expérience avec Yuften ! Je suis grande, je peux me débrouiller toute seule ! Sans vous et votre escorte ! J'ai besoin de liberté !

Samah en fut abasourdie.

– Essaie de te mettre à ma place, Daishan ! Comment pourrais-je te laisser partir avec une famille de marchands dont j'ignore tout ? Tu es ma cousine et tu appartiens à la famille royale… et moi, je suis responsable de toi. Notre royaume est calme, c'est vrai, mais le bon sens m'oblige à être prudente, plaida-t-elle.

Il lui fut cependant impossible de raisonner sa cousine. Voyant échouer toutes ses tentatives pour la convaincre, Samah dut se résoudre à clore brutalement la discussion.

– Assez, Daishan ! Ta place est ici, à Rochedocre ! Tu

l'as dit toi-même : tu es grande ; le temps des caprices est terminé !

– Tu ne peux pas m'obliger à rester contre ma volonté !

– Oh que si ! Je gouverne ce royaume et mes décisions valent aussi pour toi ! Et si tu persistes à t'adresser à moi sur ce ton…

– Je veux être avec Yuften !

Daishan parlait sans réfléchir. Une voix dans sa tête s'obstinait à lui répéter : « Pars avec lui, coûte que coûte ! »

Perdant définitivement patience, la princesse l'attrapa par la main et l'entraîna jusqu'à sa chambre. Puis, à bout de bras, elle la tira à l'intérieur, ressortit et s'empressa de fermer la porte à clé.

Quand Daishan comprit qu'elle était piégée, il était trop tard.

– Ouvre-moi, Samah ! Je veux sortir d'ici ! À l'aiiide ! cria-t-elle désespérément.

La princesse ne se laissa pas attendrir. Ce qu'elle venait de faire lui serrait le cœur, mais elle n'avait pas d'autre solution. Daishan était complètement hors d'elle ; quelque chose ne tournait pas rond dans toute cette histoire. Qui était ce jeune marchand ? Elle ne savait rien de lui : comment aurait-elle pu s'y fier ? Il ne s'était même pas présenté à elle, comme c'était l'usage. Son devoir de princesse lui imposait de protéger son peuple et en particulier sa famille, or désormais…

Les hurlements de sa cousine l'empêchèrent de poursuivre sa réflexion. De plus, ce vent incandescent qui soufflait depuis le matin lui coupait le souffle sans lui laisser un instant de répit.

La princesse décida alors d'aller demander conseil à son grand-père.

18
Solitude

aishan n'aurait jamais imaginé combien le temps pouvait passer lentement, entre les quatre murs de sa chambre.

Elle marchait de long en large sans parvenir à se calmer. Se confier à Samah avait été une énorme erreur : mieux aurait valu s'enfuir tout de suite, sans se compliquer la vie.

Regardant de temps à autre par la fenêtre, elle souffrait à la pensée de ne plus revoir Yuften, et de ne même pas pouvoir le prévenir ! Lui qui, au même moment, devait attendre sa réponse dans quelque ruelle envahie par une foule libre d'aller où bon lui semblait !

Une peine infinie lui serra la gorge ; désespérée, elle

enfouit son visage dans son oreiller pour étouffer ses sanglots.

~*~

Avide de conseils et de réconfort, la princesse se précipita à la recherche de son grand-père et le trouva sur la terrasse du deuxième étage. Assis sur de confortables coussins colorés, il lisait un recueil de très anciens poèmes.

– Ma chère Samah ! Quelle bonne surprise !

Toujours calme et souriant, il offrait à tous un modèle de conduite lumineux et rassurant.

– Oh, grand-père ! s'écria la princesse en courant se blottir contre lui.

– Que se passe-t-il ?

– Je n'en sais rien. Peut-être ai-je tout fait de travers…

– Ne dis pas cela, et raconte-moi plutôt ce qui ne va pas, l'encouragea-t-il en posant son livre.

– C'est à propos de Daishan. Aujourd'hui, elle était très heureuse et m'a offert ce collier…

– Il est magnifique.

– Oui, mais ensuite elle m'a révélé la cause de sa joie : un garçon l'a invitée à venir voir son village quand le marché sera fini.

– Ah !

– Et elle était d'accord, tu te rends compte ? Or moi je ne sais rien ni de lui, ni de sa famille ! Comment pourrais-je imaginer un seul instant leur confier ma cousine ? Daishan ne peut espérer obtenir ma permission, je le lui ai dit de manière claire et nette ! Et là, elle s'est mise dans tous ses états…

– À présent, calme-toi. Respire profondément.

Samah suivit le conseil d'Amar et se sentit mieux. Elle reprit alors son récit depuis le début, d'une voix plus calme.

– Tu as fait ce que tu estimais juste, jugea son grand-

père quand elle eut fini. Une princesse doit savoir prendre des décisions, c'est l'un de ses devoirs. Et n'oublie pas, ma chère enfant, que chaque choix comporte un risque. C'est inévitable. Nul ne peut savoir à l'avance s'il se révélera bon ou mauvais.

– Certes, mais là il s'agit de ma cousine. Comment puis-je…

– Samah, pour le moment, tu ne peux rien faire de plus. Ces dernières nuits, les étoiles ont paru vaciller dans le ciel ; quelque chose les trouble. On aurait dit qu'une force capricieuse soufflait sur elles pour les éteindre. Et à présent, il y a ce vent suffocant.

– Qu'est-ce que cela signifie ?

– Instabilité des esprits, Samah ! Sous le ciel s'agitent des puissances inconnues.

– Cela affecterait Daishan ?

– Et le jeune marchand. Mais pas seulement eux…

– Donc j'ai bien fait de l'empêcher de partir !

– Je ne puis que relater ce qu'expriment le vent, les étoiles et le ciel. Pas davantage !

– Merci, grand-père.

– Mais je ne t'ai donné aucune réponse !

À cet instant arriva Armal, manifestement inquiet.

– Samah, j'ai essayé d'entrer dans la chambre de

Daishan, mais quelqu'un l'a enfermée… Elle prétend que c'est toi !

– C'est vrai ! répondit la princesse.

– Pourquoi ?

– Viens t'asseoir avec nous, Armal ! lui proposa le vieil homme.

Samah lui raconta brièvement le projet de Samah et de Yuften.

Son cousin en resta bouche bée.

– Tu as très bien agi, Samah ! finit-il par répondre en secouant la tête.

– Peut-être pourrais-tu aller lui parler, Armal, suggéra Grand-Père. Cela lui fera du bien. Enfin, si Samah est d'accord.

– Bien sûr !

La princesse lui remit alors la clé de la chambre de sa sœur.

– Rapporte-la-moi aussitôt après, s'il te plaît ! Daishan ne doit pas sortir avant la fin de la foire et… le départ de ce mystérieux garçon. C'est pour son bien.

– Je le sais, sois tranquille, répliqua Armal en s'éloignant.

– Croisons les doigts ! souffla Samah.

Son grand-père lui caressa les cheveux et elle ferma les yeux en espérant que les choses s'arrangeraient rapidement.

~*~

– Tu ne comprends pas, Armal ! cria Daishan.

– Mais ce jeune homme… tu le connais à peine ! objecta son frère.

– Je ne sais comment l'expliquer, mais ce matin, quand je me suis réveillée, j'ai *su* que je devais lui dire oui.

– Peut-être que tu avais dormi trop longtemps et qu'en ouvrant les yeux tu étais encore sous l'influence de tes rêves.

– En effet, je me souviens de mots ; ils formaient comme une berceuse qui me disait de partir avec Yuften.

– Tu vois, ce n'est qu'une illusion.

– Mais je ne veux plus rester ici ! Je veux rejoindre Yuften, traverser le désert et voir la mer ! Et toi, tu dois m'aider !

– Je ne peux pas. J'ai promis à Samah…

– Qu'est-ce que cela peut te faire ? Nous sommes frère et sœur, non ? Cela compte plus que tout le reste !

– Ne me mets pas dans cette position ! Tu sais combien je t'aime, mais je ne peux pas te laisser sortir. Je crois que tu fais fausse route et je ne veux pas trahir la confiance de Samah et du Grand-Père.

– Comment ? Lui aussi est d'accord pour me garder enfermée ici ?!

Armal acquiesça.

Daishan se laissa alors retomber sur son lit. Le vieil homme était son ultime espoir. En dernier recours, elle pensait pouvoir compter sur sa bonté, mais maintenant qu'elle connaissait son opinion, elle se sentait complètement abandonnée.

Armal s'assit à côté d'elle.

– Daishan, ma petite sœur, tu sais que je ferais n'importe quoi pour toi, mais cette fois Samah a raison. Il serait imprudent d'entreprendre un long voyage avec des gens dont tu ne sais rien. Et si ce garçon avait de mauvaises intentions ?

– Tu ne le connais pas. Il est unique…

– Je l'imagine, mais chaque chose en son temps. Quand nous saurons mieux qui sont ces marchands, nous y réfléchirons posément. Entre-temps, si tu veux visiter les frontières du royaume, rien ne nous empêche de le faire ! Rien que toi et moi, à l'aventure ! Qu'en dis-tu ?

– Je dis que si tu étais à ma place, tu ne parlerais pas ainsi.

– Et si toi, tu étais à la mienne, tu me tiendrais exactement le même discours !

– Oh, je n'en peux plus, va-t'en ! Si tu n'as pas l'intention de m'aider, laisse-moi seule.

– C'est de cette manière que je t'aide, dit son frère en cherchant à la serrer dans ses bras.

S'écartant, Daishan lui tourna le dos.

– Ah oui ? Eh bien, tu peux la garder, ton aide !

Armal quitta la pièce, affligé. Il avait espéré convaincre sa sœur de considérer la situation avec un peu plus de distance, mais elle était terriblement têtue. En refermant la porte, il l'entendit sangloter.

Il avait l'impression de la trahir, mais il n'avait pas d'alternative.

19
La fuite

llongée sur son lit, Daishan fixa le plafond jusqu'à ce que les murs de sa chambre se dissolvent dans la pénombre vespérale. Quand la colère née de la dispute avec sa cousine et son frère commença à se dissiper, elle tenta d'imaginer une solution. Mais les émotions de la matinée cédèrent la place à un épuisement qui la gagna lentement avant de la terrasser. Elle sombra alors dans un sommeil pesant et agité.

Lorsqu'elle se réveilla, il faisait nuit noire.

En allumant la bougie qui se trouvait sur sa table de chevet, elle perçut un mouvement insolite tout près de sa main, un frôlement soudain qui l'effraya. Elle pensa aussitôt à une phalène, attirée par la flamme.

La fuite

Mais ce n'était autre que le coléoptère cobalt, qui, tout au long de son sommeil, avait fredonné sa mystérieuse ritournelle à son oreille, et stationnait à présent sur le rebord de la fenêtre pour en observer les effets.

La réaction de Daishan ne se fit pas attendre : elle se leva et alla à la fenêtre. Seul un mince croissant de lune éclairait la nuit. Bien qu'on n'y vît presque rien, ses yeux discernèrent les silhouettes des maisons de Rochedocre et la mer de sable familière qui s'étendait au pied du piton.

Son regard remonta jusqu'aux Versants désolés, et subitement le souffle lui manqua. Cela lui revenait : la feuille d'argent n'était plus en sécurité !

Dans son sommeil, quelqu'un l'avait pressée d'aller la chercher avant qu'elle tombe dans de mauvaises mains. Daishan ne se rappelait pas qui avait parlé, mais la sensation de danger était intense, palpable même.

Les yeux écarquillés par l'émotion, elle déglutit péniblement.

Il lui fallait trouver le moyen de sortir… mais comment ?

Elle se pencha par la fenêtre. Impossible de descendre par là : la distance jusqu'au sol était de plusieurs mètres ! C'était trop risqué, et de toute façon elle n'avait pas de corde.

La fuite

Elle se mit à arpenter nerveusement la pièce, pendant que le coléoptère bourdonnait autour d'elle avec insistance.

– Va-t'en ! le chassa-t-elle en essayant de le frapper du revers de la main.

Esquivant le coup, l'insecte se glissa sous l'armoire. La jeune fille, qui l'avait suivi des yeux, eut alors une illumination.

Des profondeurs de son passé resurgit un souvenir : quand elle était petite, Daishan aimait se cacher sous ce meuble en attendant que Samah vienne, comme chaque matin, lui dire bonjour. Pendant que la princesse entrait et la cherchait au milieu des draps, Daishan comptait jusqu'à dix, puis bondissait hors de sa cachette pour la chatouiller.

Le cœur battant, la jeune fille s'approcha de l'armoire. Elle se rappelait le courant d'air froid qui l'ébouriffait chaque fois qu'elle attendait, tapie dessous. C'était là que débouchaient les anciens conduits d'aération, lui avait expliqué sa cousine. Ils avaient été construits il y a très longtemps, l'année où le royaume du Désert avait subi une sécheresse exceptionnelle qui avait transformé Rochedocre en fournaise.

Déplaçant le meuble, Daishan découvrit une petite porte dans le mur. De toutes ses forces, elle tira sur sa poignée pour faire céder ses gonds rouillés. Soudain la porte s'ouvrit, libérant un courant d'air frais qui sentait la terre. En regardant à l'intérieur du boyau, Daishan entrevit une échelle qui descendait à la verticale.

« Voilà, nous y sommes ! » pensa la jeune fille.

Sans perdre un instant, elle saisit une écharpe et une bougie, s'engouffra dans l'étroit passage et commença à descendre. Toute frissonnante, elle pria pour revoir bien vite le ciel et la lune.

Tandis qu'elle se frayait un chemin au milieu des toiles d'araignée, le visage protégé par son foulard, elle ne pensait qu'à une chose : trouver la feuille d'argent dissimulée dans les Versants désolés. Une voix dans sa tête lui ordonnait de faire vite, car le royaume était menacé !

Un coup de vent humide éteignit la bougie à l'endroit même où le boyau se resserrait. Daishan se retrouva alors dans l'obscurité la plus complète.

Elle essaya de ne pas penser aux chauves-souris qui, très certainement, vivaient là. En vain… Désormais, son imagination battait la campagne et il n'y avait plus moyen de l'arrêter. Elle s'efforça de songer à ce que lui aurait dit son frère : « Tu t'égares, Daishan ! Ne pourrais-tu pas, pour une fois, te concentrer sur ce qui existe vraiment ? »

Mais aussitôt, cette pensée fut repoussée par l'image de la feuille d'argent et par des mots que la jeune fille se surprit à prononcer pour son propre compte :

La fuite

– La feuille d'argent est en danger… Je dois la trouver à temps… Et l'emporter, ainsi le royaume sera sauvé. Samah ne regrettera pas de m'avoir confié le secret des Versants désolés.

Alors que sa voix résonnait contre les parois du passage, Daishan discerna une faible lueur, quelques mètres plus loin. Comprenant qu'elle approchait de la sortie, elle accéléra, le cœur plus affolé que ses propres mouvements.

Dans un ultime effort, elle s'extirpa du conduit et se retrouva derrière l'un des foisonnants hibiscus plantés dans un angle de la cour. Les étoiles étaient encore visibles dans le ciel obscur, signe que la nuit n'en était qu'à son début.

La jeune fille essuya la sueur qui perlait sur son front et s'attarda derrière l'arbuste, le temps de reprendre son souffle. Maintenant qu'elle était sortie de sa chambre, il lui restait un problème à résoudre : comment gagner les Versants désolés ?

« Il me faut une monture ! » se dit-elle.

Cependant, les écuries du palais étaient surveillées par Kel-Radek, qui avait le sommeil aussi léger que ses coursiers. Le risque d'être découverte était trop grand. Il devait y avoir un autre moyen !

Soudain, elle se rappela que la famille de Yuften était arrivée à Rochedocre avec un gros chargement. Elle en était sûre : le jour où elle avait fait sa connaissance, celle-ci avait fait son entrée derrière une charrette tirée par un cheval. À cette pensée, son visage s'éclaira. « Parfait, cela peut fonctionner ! » trancha-t-elle.

La jeune fille prit une profonde inspiration et se précipita vers la grande porte en iroko. Un instant plus tard, elle courait à travers les ruelles de la cité, laissant derrière elle le palais endormi.

20
Alerte à Rochedocre

L'aube venait de pointer quand le coq de Fadil chanta, encore une fois, sans aucun souci de ponctualité.

Rubin Blue sortit de sa chambre pour gagner les écuries. Après avoir salué Kel-Radek, qui venait tout juste de se réveiller, il rejoignit son merveilleux cheval blanc.

Il le caressa, le sella, puis empoignant ses rênes, le conduisit à l'extérieur.

Le cœur du jeune homme battait la chamade : malgré l'interdiction de la princesse, il avait l'intention de s'aventurer dans les montagnes où subsistaient d'ultimes traces de magie. Et cette fois, sa recherche aboutirait ! songea-t-il avec conviction.

En traversant la cour centrale, il s'arrêta pour admirer une dernière fois le palais. Son regard s'attarda sur les frises colorées qui encadraient les fenêtres, puis sur l'esplanade où il avait connu Samah. Tandis qu'il repensait aux jours passés à Rochedocre, son attention fut attirée par une tache claire à un coin de la cour.

Intrigué, il s'approcha et, à sa grande surprise, découvrit dans le feuillage d'un hibiscus une écharpe bleu ciel ornée de broderies. À l'évidence, elle appartenait à une femme, mais que faisait-elle donc là ?

Et les surprises ne s'arrêtaient pas là : derrière les branches de l'arbuste, que l'on avait visiblement écartées, le mur présentait une ouverture semblable à celle d'un conduit d'aération. Pour couronner le tout, Rubin constata que le portail était ouvert.

Résolu à comprendre ce qui s'était passé, il prit l'écharpe et, abandonnant son cheval dans la cour, se dirigea vers les appartements royaux.

~*~

– Princesse, je regrette de vous avoir fait lever si tôt, mais je dois vous informer d'une chose, annonça Rubin.

Samah descendait l'escalier menant au portique, suivie de la domestique qui l'avait réveillée à la demande du jeune homme.

– Eh bien, dites-moi de quoi il s'agit, l'exhorta-t-elle.

– Tout à l'heure, juste avant de me rendre au marché, je me suis arrêté un instant pour admirer votre magnifique cour… commença Rubin.

– Et ?… le pressa Samah, en jetant un regard perplexe au cheval blanc qui attendait au beau milieu de celle-ci.

« Quel besoin avait-il de faire seller son cheval, s'il n'allait qu'en ville ? » songea-t-elle.

– J'ai trouvé ceci, poursuivit-il en lui tendant l'écharpe.

Stupéfaite, la princesse porta une main à sa bouche.

– Mais elle appartient à Daishan ! D'où vient-elle ?

– Suivez-moi et je vous montrerai ce que j'ai découvert.

Rubin conduisit la princesse jusqu'à l'arbuste, lui fit voir l'ouverture, puis lui signala le portail entrebâillé.

– Daishan… enfuie ? Comment est-ce possible ? dit Samah dans un filet de voix.

Se reprenant, elle s'élança dans les escaliers en appelant d'une voix forte :

– Armal ? Armal, viens vite… Il est arrivé une chose terrible !

La servante courut prévenir le jeune homme, pendant que la princesse, suivie de Rubin, se précipitait dans la chambre de sa cousine.

Lorsqu'elle ouvrit la porte, elle ne put en croire ses yeux. L'armoire avait été déplacée, dévoilant le conduit, rouvert après Dieu sait combien d'années ! Samah se souvint du jour fort lointain où elle avait parlé à sa jeune cousine du système de ventilation mis au point par le Roi sage pour rafraîchir le palais. Comment Daishan avait-elle pu s'en souvenir après tout ce temps ?

Sa réflexion fut interrompue par l'arrivée d'Armal et du Grand-Père.

– Mais où est Daishan ?! s'écria le garçon.

Samah désigna le mur derrière l'armoire et son cousin ouvrit des yeux ébahis.

– Restons calmes ! recommanda le Grand-Père.

– Et lançons immédiatement les recherches, ajouta Armal. Qui a découvert sa fuite ?

– Moi, répondit Rubin, jusque-là demeuré à l'écart.

Armal le dévisagea d'un air surpris.

– Merci de votre aide, Rubin ! répondit alors le vieil homme avisé.

– Armal, fais appeler Ajar et Kel-Radek, ordonna la princesse. Il ne faut pas perdre de temps !

– Si je puis vous être d'une quelconque utilité… proposa Rubin.

– Vous en avez déjà beaucoup fait. Et je vous en suis très reconnaissante ! déclara Samah, qui souhaitait rester en famille.

– Très bien, alors je vous remercie de votre hospitalité et vous dis au revoir.

Cette annonce étonna la princesse. Comment cela « au revoir » ? Ne devait-il pas aller au marché ? Quelque chose dans la conduite de ce jeune homme lui échappait. Mais avec la disparition de Daishan, elle avait bien d'autres préoccupations.

Après que Rubin se fut éloigné, le Grand-Père prit la parole :

– Nous la retrouverons, Samah ! Essayons de reconstituer le fil des événements !

Samah le regarda, émerveillée par son sang-froid. On ne pouvait décidément qu'apprendre en vivant à ses côtés !

– Avant tout, comptons les chevaux qui sont aux écuries. Si elle est à pied, elle n'a pas pu aller loin.

– Moi, je pars à la foire interroger ce jeune marchand, proposa Armal. Peut-être nous révélera-t-il quelque chose de plus.

– Tu l'as déjà rencontré ? s'enquit Samah.

– Non, mais je le trouverai.

– Il est plutôt grand, il a le visage émacié et porte une tunique sombre, l'informa le Grand-Père. Il doit venir d'un village du Nord.

Sans chercher à comprendre comment le vieil homme pouvait savoir à quoi ressemblait le mystérieux ami de sa sœur, Armal hocha la tête. Le temps n'était plus aux questions, mais à l'action.

21
La tapisserie de Dasin

Tandis que Samah vérifiait avec Kel-Radek s'il ne manquait pas un coursier aux écuries, Armal s'engagea dans les ruelles, déjà quelque peu animées, de Rochedocre. Au terme d'une brève recherche, il découvrit que la famille de Yuften était installée sur le toit d'une maison proche de la fontaine des Merveilles. Il la trouva facilement, mais quelle ne fut pas sa surprise en apprenant que le jeune homme avait, lui aussi, disparu… à cheval !

– N'avez-vous aucune idée d'où il a pu aller ?

– Aucune, gémit sa mère, inquiète.

– Si jamais je l'attrape… s'emporta son père, le visage écarlate. Monsieur nous abandonne pour aller se

promener, juste le dernier jour du marché ! Mais à propos, que lui voulez-vous ?

À cet instant, Nuasef fit un pas en avant et avoua à ses parents :

– Yuften m'a confié qu'il est amoureux de la jeune fille au nectar de pêche…

– Daishan est ma sœur ! En fait, c'est elle que je cherche !

Les parents de Yuften n'en crurent pas leurs oreilles. Secoués, ils prièrent Nuasef de poursuivre ses explications. L'air très gêné, celui-ci ajouta :

– Il l'a invitée à venir au village avec nous… Il n'attendait que l'autorisation de la princesse pour vous en parler. Mais il y a une chose que je ne comprends pas : il ne voulait pas s'enfuir, mais que nous fassions le voyage tous ensemble !

Armal leur révéla alors ce que lui-même savait et promit de faire tout son possible pour les retrouver.

– Ils n'iront pas loin, rassurez-vous !

De retour au palais, il s'entendit avec Ajar et Kel-Radek pour monter plusieurs expéditions de recherche.

~*~

La tapisserie de Dasin

Entre-temps, le Grand-Père avait fait porter à Samah un petit mot disant : « Rejoins-moi chez Dasin. J'aimerais te montrer quelque chose. »

Dasin était la tisseuse de la cour. Bien qu'elle fût très âgée, ses mains, qui avaient immortalisé les plus belles histoires du royaume, demeuraient extrêmement agiles. Peinant à se déplacer, la vieille dame sortait rarement de sa chambre, sans que cela l'empêche d'illustrer tout ce qui se passait à l'extérieur. C'était le vent qui lui apportait ces histoires, prétendait-elle. Elle-même se contentait de les représenter. Enfin, il arrivait que ses tapisseries montrent des événements qui n'étaient pas encore arrivés.

La tapisserie de Dasin

Donnant sur le désert, la pièce était très lumineuse. Le soleil, déjà haut dans le ciel, faisait briller les cheveux blancs de la vieille dame, qui, assise sur l'unique chaise du palais, était penchée sur son métier.

Sentant une présence dans son dos, Dasin se tourna vers la porte, qu'elle gardait ouverte de jour comme de nuit.

– Princesse, quel plaisir de vous voir ! s'exclama-t-elle.

– Chère Dasin, j'ai fait venir Samah pour qu'elle voie ce que vous êtes en train de tisser, expliqua le Grand-Père.

– Certainement ! Voici mon travail.

Les deux visiteurs s'approchèrent.

La tapisserie en cours d'élaboration représentait, au moyen de traits simples et stylisés, un homme coiffé d'un turban doré, dont les yeux lançaient des éclairs blancs et dont le sourire était pour le moins inquiétant. À l'arrière-plan figurait un second personnage à cheval, qui s'éloignait d'un imposant bâtiment couleur sable.

– Sais-tu de qui il s'agit ? demanda le Grand-Père à Samah.

– Non, répondit celle-ci pensivement.

– Et cet édifice, t'évoque-t-il quelque chose ?

– Son architecture m'est familière. Le dessin n'est pas très net, mais il me semble que c'est l'Académie du royaume du Désert.

– C'est ce que j'ai pensé, moi aussi.

– Oui, c'est bien cela, confirma la princesse. Je n'y suis pas allée depuis longtemps, mais si mes souvenirs sont bons, il s'agit bien de l'Académie. Qu'est-ce que cela signifie, selon toi ?

– Je l'ignore.

– Tu crois que l'homme au regard foudroyant a quelque chose à voir avec la fugue de Daishan ?

S'efforçant d'établir un rapport entre les différents indices, le vieil homme ne répondit pas.

– Et si c'était un marchand ? hasarda Samah.

– Dans ce métier, on porte rarement un turban doré.

– Tu as raison. Pour l'instant, je n'ai pas d'autre idée…

Au bout de quelques minutes, elle formula toutefois une nouvelle hypothèse :

– Et si Daishan et Yuften avaient été enlevés par l'homme à cheval ? Peut-être les a-t-il capturés durant leur fuite.

– C'est une possibilité. Tu as vu sa monture : elle est blanche.

La princesse tressaillit.

– Rubin Blue ? avança Amar.

– Qui sait…

– Nous l'avons laissé partir, mais où allait-il au fait ?

– Trouver… l'objet qu'il est venu chercher à Rochedocre.

– Sais-tu de quoi il s'agit ?

– Non, je ne le lui ai pas demandé, confessa Samah.

– Tu es certaine qu'il s'agissait bien d'un objet et non pas d'une personne ? insista le vieil homme.

– Non, murmura la princesse. Mais pourquoi serait-il sur les traces de Daishan ? Je vais aller interroger les marchands qui campent au pied du piton. Peut-être l'un d'entre eux a-t-il croisé Rubin Blue

ou le mystérieux personnage au turban doré. Qu'en penses-tu ?

– D'accord, essayons ! Et tâchons d'ouvrir grands les yeux. Il faudra inspecter toutes les tentes : Daishan et Yuften pourraient être séquestrés dans l'une d'elles.

– Dasin, nous devons y aller. Merci encore !

Samah et le Grand-Père se dirigèrent vers la porte, le dessin de l'énigmatique tapisserie gravé dans leur esprit.

~*~

Entre-temps, dans la cour du palais, Armal avait mis sur pied trois expéditions : Ajar, le guide du désert, gagnerait les frontières sud du royaume ; Kel-Radek partirait vers le nord-est ; enfin, Samah et lui-même mettraient le cap au nord-ouest, vers la Verte Plaine d'abord, avant de suivre le fleuve des Mirages jusqu'à son embouchure.

Les Versants désolés, à l'ouest, avaient été exclus du périmètre de recherche, car jugés trop inaccessibles et dangereux pour que les fugitifs en aient fait leur destination.

« Daishan a parlé de la mer. Est-ce vers elle qu'elle se dirige avec Yuften ? » se demanda Armal.

Peut-être les retrouveraient-ils sains et saufs dans quelque oasis sur la route. Le jeune marchand pouvait en connaître quelques-unes.

Puis, Armal les imagina perdus et sans défense face à tous les dangers que l'on pouvait rencontrer : scorpions tigres, chauves-souris géantes… Ils n'attaquaient jamais les hommes, disait-on, mais la seule pensée que sa sœur se retrouve nez à nez avec l'une de ces bêtes le faisait frémir.

Il fallait partir tout de suite !

Enfin arriva Samah, montée sur Amira. Elle et son grand-père revenaient du campement au pied de l'éperon rocheux. L'unique information qu'ils en rapportaient était que Rubin Blue l'avait traversé, peu après le lever du soleil, chose que la princesse savait déjà.

– Armal, si cela ne t'ennuie pas, partons plutôt vers le nord-est, le pria-t-elle.

En effet, le seul indice dont elle disposait était l'Académie.

Armal la fixa, perplexe.

– Pourquoi ?

– Je préfère suivre cette piste.

Comprenant que sa cousine avait une idée en tête, il se tut, impatient de se mettre en route.

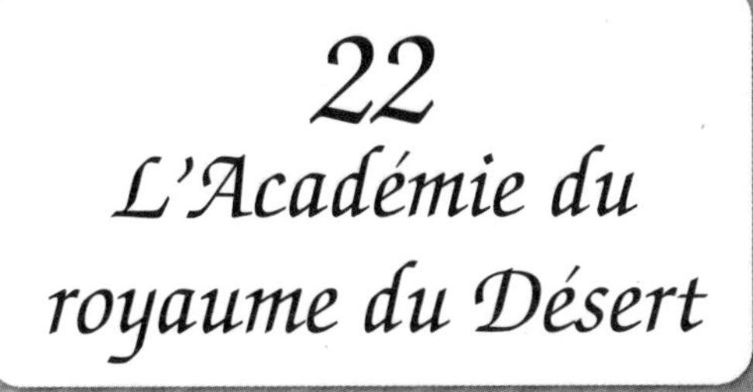

22
L'Académie du royaume du Désert

Les quatre cavaliers se donnèrent cinq jours et cinq nuits pour retrouver Daishan et Yuften. Passé ce délai, tous rentreraient à Rochedocre pour décider de la suite à donner aux opérations.

Ajar entama une traversée des dunes qui devait durer deux jours. Mais confronté à l'une des innombrables tempêtes de sable qui balayaient le désert, il dut faire halte dans une oasis abritée du vent en attendant que le temps se calme.

Il poursuivit ensuite jusqu'au désert rocheux, où, jugeant impossible que les fugitifs soient allés plus loin, il décida de rebrousser chemin.

Kel-Radek partit vers le nord-ouest en suivant

l'itinéraire initialement dévolu à Armal et à la princesse. Il interrogea les voyageurs qu'il rencontrait en leur décrivant de son mieux Daishan et Yuften (pour ce qu'il en connaissait), mais personne ne put lui fournir la moindre information. Apercevant, au troisième jour, les arbres majestueux qui bordaient la Verte Plaine, il décida de s'arrêter dans les villages alentour. Selon Samah, le jeune homme était en effet originaire de cette région. Mais là non plus, pas la moindre trace de leur passage.

Quant à la princesse et Armal, ils traversèrent le désert des Murmures en direction du nord-est, sans obtenir davantage de résultat. Au troisième jour, alors qu'ils commençaient à désespérer, ils distinguèrent, sur la ligne tremblotante de l'horizon, la silhouette d'un grand bâtiment couleur sable.

– C'est l'Académie ! s'exclama Samah.

Éperonnant son cheval, elle partit au galop, aussitôt imitée par son cousin. Un vent brûlant fouettait le contour de leurs yeux, que leurs écharpes ne pouvaient protéger.

Puis, à mesure qu'ils approchaient, le vent faiblit comme par enchantement, et l'édifice se fit plus net.

L'Académie du royaume du Désert

L'Académie était réputée à travers les Cinq Royaumes pour l'excellence de son enseignement, dispensé par d'authentiques savants. Samah, qui avait découvert cette institution en compagnie de son père, abordait cette seconde visite le cœur rempli d'espoir mais aussi de crainte. Elle ne pouvait se sortir de la tête l'image de la tapisserie de Dasin, avec ses mystérieux personnages.

Que penser de Rubin Blue, inopinément apparu à Rochedocre et tout aussi prestement volatilisé ? Était-ce lui le cavalier représenté par la tisseuse ? Quel lien pouvait-il avoir avec l'Académie ? Et que dire de l'homme au turban doré et au regard foudroyant ?

À force de ressasser tout cela, la princesse se sentit prise de vertige.

~*~

Les deux cousins immobilisèrent leurs chevaux devant un portail en fer forgé surmonté de l'emblème de l'institution : le palmier de la connaissance, plante légendaire produisant aussi bien des fruits que des livres.

Au-delà s'étendait un jardin fleuri menant à un majestueux bâtiment de trois étages, doté de grandes fenêtres en ogive et d'une entrée soutenue par de fines colonnes torsadées. Sa porte en bois massif, ornée de symboles et d'allégories de la connaissance, était fermée.

Il n'y avait pas âme qui vive.

Samah et Armal remarquèrent un gong près du portail. Tous deux échangèrent un regard, puis le garçon mit pied à terre, saisit le maillet et frappa violemment le disque de bronze.

Peu après, un petit homme maigre sortit du bâtiment. Il était entièrement vêtu de blanc, et sa tête était coiffée d'un énorme turban.

Il se hâta de traverser le jardin, puis braqua deux petits yeux rusés sur les nouveaux venus.

– Vous désirez ?

La princesse prit la parole :

– Je suis la princesse Samah et voici mon cousin Armal. Nous venons voir le directeur de l'Académie.

– Patientez, je vous prie, répondit leur interlocuteur.

Il retourna sur ses pas et disparut à l'intérieur de l'établissement.

Samah et Armal attendirent quelques minutes ; puis constatant qu'il ne revenait pas, le jeune homme observa :

– Peut-être perdons-nous un temps précieux.

– Qui sait ? Mais maintenant que nous sommes là, voyons ce que nous pouvons découvrir, murmura sa cousine.

À ce moment-là, l'homme au turban blanc revint et leur ouvrit le portail avec une clé qu'il portait autour du cou.

– Vous pouvez laisser vos chevaux de ce côté, déclara-t-il en désignant un coin ombragé. Quelqu'un va venir les panser et leur donner à boire.

– Très bien, merci.

Les deux cousins attachèrent les brides de leurs montures à l'endroit indiqué, puis suivirent leur guide.

Lorsqu'ils franchirent la porte en bois, Samah et Armal s'immobilisèrent, stupéfaits. Devant eux s'ouvrait un gigantesque vestibule pavé de marbre, dont le centre s'ornait d'une fontaine couronnée par une immense sphère. En outre, alors que dehors, on ne voyait personne, l'intérieur du bâtiment fourmillait d'hommes de science serrant de gros livres sous le bras.

La princesse se rappela les paroles de son père, le Roi sage, qui décrivait l'Académie comme un lieu ambigu, où le bien pouvait cohabiter avec le mal, et où l'on pouvait introduire artifices, poisons et magie au prétexte de les soumettre à l'examen d'éminents savants.

– Mais d'où sortent-ils, tous ? s'interrogea Armal.

– Oui, c'est incroyable ! dit Samah.

– Par ici, insista leur guide.

La princesse et son cousin montèrent au premier étage, puis parcoururent un couloir jalonné de portes en bois blanc. Toutes laissaient entrevoir de spacieuses salles tantôt remplies de plantes étudiées de près par des professeurs et leurs élèves, tantôt occupées par de grandes tables garnies de récipients et d'alambics en verre, où bouillonnaient des substances colorées.

Parvenu au fond du couloir, le petit homme frappa trois fois à une porte fermée, puis l'ouvrit.

– Entrez, s'il vous plaît, pria-t-il les deux visiteurs, avant de retourner à ses occupations.

23
L'homme au turban doré

amah et Armal pénétrèrent dans une grande pièce lumineuse aux murs couverts d'imposantes bibliothèques. Au centre se trouvait une table en bois sombre, entourée de quelques sièges. Un fauteuil tendu de tissu était tourné vers la fenêtre, qui offrait une vue exceptionnelle sur le jardin et le désert.

Un homme à la barbe soignée et aux grands yeux ronds se leva du fauteuil. Tout comme le gardien, il était entièrement vêtu de blanc, à l'exception de son turban tissé en fil d'or.

La princesse écarquilla les yeux : c'était le même couvre-chef que sur la tapisserie de Dasin, mais celui qui le portait était différent, elle en était certaine.

L'inconnu vint s'incliner devant elle. Il avait une forte carrure et ses poignets étaient chargés de bracelets. L'une de ses petites mains potelées arborait une bague sertie d'une grosse pierre noire.

– Princesse Samah, c'est un honneur pour moi que de vous recevoir avec votre cousin ! la salua-t-il d'une voix onctueuse. Je m'appelle Jom Runi et suis le directeur de l'Académie. À quoi dois-je le plaisir de votre visite ?

– Nous sommes à la recherche de ma cousine ; elle a disparu de Rochedocre il y a quelques jours. Son nom est Daishan, elle a dix-huit ans et voyage vraisemblablement avec un garçon appelé Yuften. C'est un marchand.

– Je crains que vous ne les trouviez pas ici. Comme vous l'avez certainement remarqué, il n'y a pas de femme dans ces murs, à l'exception de vous en ce moment bien sûr… s'amusa-t-il. De toute façon, personne n'entre ou ne sort de cet établissement sans

que je le sache. Je regrette, mais je n'ai pas entendu parler de ces jeunes gens.

Samah baissa la tête, déçue.

– Je comptais vraiment sur votre aide, directeur.

– Uniquement parce que c'est vous, je vais ordonner un contrôle supplémentaire.

– Je vous en remercie.

Samah et Armal s'assirent autour de la table, pendant que, sur le pas de la porte, leur hôte parlait à mi-voix avec un serviteur.

– La réponse ne sera pas longue, les informa-t-il aussitôt après. Je déplore ce qui arrive à votre cousine ; si je puis vous être d'une quelconque utilité, j'en serai ravi… D'autant que j'ai, moi aussi, perdu deux précieux collaborateurs récemment.

– Vraiment ?

– Hélas, oui. Le premier a pris la mer, il y a plusieurs mois, et n'est jamais revenu. Pas plus que ses compagnons de voyage, au demeurant. Il n'y a presque plus d'espoir de le retrouver vivant. Il s'appelle Khalil Zaba.

– Son nom ne m'évoque rien. S'il était passé à Rochedocre, j'en aurais eu vent.

– Je vois. Du reste, comme je vous le dis, nous avons

presque renoncé à le revoir un jour. Les temps changent, princesse : les astrologues relèvent de sombres présages dans nos cieux.

Samah et Armal hochèrent la tête silencieusement.

– Il faut être prudent, poursuivit Jom Runi. C'est ce que je répétais, il y a quelques semaines encore, à un autre de mes fidèles partenaires, qui a lui aussi disparu ! C'était un excellent prospecteur, qui nous manquera beaucoup. Pauvre Rubin Blue !

– Celui-là, nous le connaissons ! s'écria spontanément Armal. Il vient de séjourner chez nous !

– Vous en êtes sûr ? Quelle bonne surprise !

– Il disait être à la recherche d'un objet rare, précisa Samah.

– Oui, je puis vous le confirmer.

– Et savez-vous de quoi il s'agissait ?

– Je crois qu'il a parlé d'une délicate feuille d'argent.

À ces mots, la princesse blêmit. L'unique feuille d'argent que comptait son royaume était celle qu'elle avait cachée dans les Versants désolés. Mais elle seule… et désormais Daishan en connaissaient l'existence. À peine lui en avait-elle révélé le secret que sa cousine s'était volatilisée…

Et à présent, elle apprenait que Rubin Blue était

venu à Rochedocre pour mettre la main sur le précieux objet ! Avait-il enlevé Daishan ? Le fait qu'il ait été le premier à comprendre qu'elle avait disparu était-il le pur fruit du hasard ? Donner l'alerte et proposer de participer aux recherches aurait pu être une excellente stratégie pour ne pas éveiller de soupçons, et s'éclipser ni vu ni connu ! Pourtant un point demeurait obscur : à quelles fins Rubin Blue voulait-il se procurer la feuille d'argent ?

– Qu'avait-il l'intention d'en faire ? demanda aussitôt la princesse.

– Il devait la remettre à quelqu'un. La spécialité des prospecteurs, qui n'en sont pas moins des marchands, est de dénicher des objets pour les revendre à des savants de l'Académie ou à des personnalités liées à notre institution.

– Sauriez-vous qui s'intéresse à cette pièce ?

– Malheureusement, non. Chaque prospecteur s'entend directement avec celui qui fait appel à lui. Ce pourrait être n'importe qui.

Samah nageait en pleine confusion : si la disparition de Daishan était liée à Rubin Blue, comment expliquer celle de Yuften ?

L'homme au turban doré

Tandis que la princesse tournait et retournait ces pensées, un homme s'approcha de Jom Runi et murmura quelque chose à son oreille.

Un éclair de surprise traversa le regard du directeur.

– Je regrette, mais je ne puis vous donner de bonnes nouvelles : personne ne peut vous renseigner sur votre cousine ou son ami, leur annonça-t-il.

Aussitôt, Samah se leva pour prendre congé.

– Je vous remercie de votre aide. C'était fort aimable de votre part, directeur.

– Je n'ai fait que mon devoir, princesse. Si j'apprends quelque chose, je vous enverrai un message et…

– Encore merci ! abrégea Samah.

Parvenue à la porte, elle s'arrêta pour poser une dernière question :

– Juste une chose…

– Je vous en prie !

– Votre turban est magnifique ! le flatta-t-elle. Il est lié à votre fonction, j'imagine…

– En effet, cette coiffe est une distinction honorifique accordée aux plus illustres membres de l'Académie, qu'ils soient enseignants ou bienfaiteurs.

– Qui sont donc ces derniers ?

– Des amoureux de la culture, qui font don d'une partie de leur patrimoine à notre institution pour nous permettre de financer nos recherches. Ils sont nombreux et sont issus des Cinq Royaumes.

Samah chercha un fil conducteur entre les diverses informations dont elle disposait, mais elles restaient encore insuffisantes pour éclaircir l'affaire.

– Existe-t-il une liste de ces personnes ?

– Je puis vous la dresser, si vous le souhaitez. Mais cela prendra plusieurs jours.

– Je le souhaite. Encore merci de votre collaboration.

Le directeur salua la princesse et son cousin avec une seconde courbette et regagna son fauteuil.

~*~

Une fois dehors, Samah et Armal retrouvèrent la fraîcheur du jardin et se remirent en selle.

– Tout cela est bizarre, Armal ! Avant notre départ,

grand-père m'a montré la tapisserie à laquelle travaille Dasin : elle représente un homme avec le même turban doré que celui du directeur, mais dont le visage n'a rien à voir. Pourtant à l'arrière-plan, on discerne l'Académie et un second personnage qui s'éloigne sur un cheval blanc.

– Rubin Blue !

– Exact : nous avons la confirmation qu'il était en mission pour l'Académie, mais sans savoir qui lui a confié sa recherche.

– La liste des bienfaiteurs pourra peut-être nous aider…

– Je crains que le directeur ne soit pas pressé de nous la transmettre. Il ne m'a pas fait bonne impression, confia la princesse.

– Samah ?

– Oui ?

– Sais-tu l'intérêt que présente cette feuille d'argent ?

– Malheureusement, oui. Et j'ai un mauvais pressentiment. Rentrons vite à Rochedocre !

– Nous ferions bien de nous reposer, avant.

– Impossible. Il faut nous dépêcher : le royaume du Désert est en danger !

L'homme au turban doré

Laissant derrière eux le portail surmonté de l'emblème de l'Académie, ils se mirent aussitôt en route, espérant de tout leur cœur retrouver Daishan et Yuften à leur arrivée.

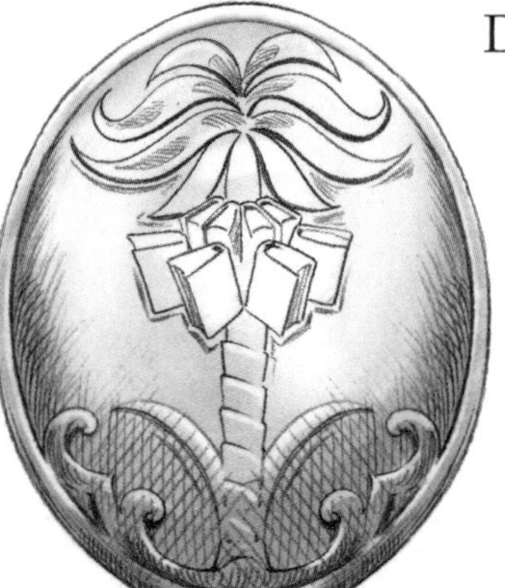

Mais une tout autre surprise les attendait à Rochedocre, qu'ils n'auraient jamais pu imaginer.

SECONDE PARTIE

24
Une surprise venue des îles

Samah et Armal étaient épuisés. Ils avaient voyagé deux jours durant sans s'arrêter, sauf pour permettre à leurs chevaux de boire et de reprendre des forces. Et ils rentraient avec une série d'informations qu'ils avaient encore du mal à assembler.

Samah ne cessait de penser à la feuille d'argent ; dessus était en effet gravé le couplet du *Chant du sommeil* dont elle avait la garde : la seule idée qu'il tombe dans de mauvaises mains la terrorisait.

– Penses-tu que Daishan et Yuften ont pu être retrouvés ? demanda Armal, alors qu'ils parcouraient les venelles de Rochedocre.

– Je ne sais pas, mais je l'espère, répondit la princesse, sans grande conviction.

– Moi, je crains que non.

– Il est vrai que l'affaire se complique... Plusieurs choses m'inquiètent.

– Comme le sort de la feuille d'argent ? Tu as pâli quand le directeur en a parlé.

Samah resta silencieuse, avant de répondre d'un trait :

– Son rôle est fondamental pour la paix du royaume. Tu n'as pas besoin d'en savoir plus.

– Tu redoutes que Rubin l'ait dérobée ?

– Rubin... ou ta sœur. Elle sait où elle est dissimulée.

– Mais ce n'est pas une voleuse !

– Peut-être, mais avant de faire d'autres hypothèses, il faut que je vérifie si elle est toujours à sa place.

– Je pourrai t'accompagner, si tu veux.

– Merci, Armal, mais... quelle est cette agitation ? demanda la princesse en franchissant le portail du palais.

La cour était en pleine effervescence.

– Ah, mes enfants, vous êtes rentrés ! se réjouit le Grand-Père.

– Que se passe-t-il ?

– Il y a une surprise pour toi, Samah. Pendant ton absence, deux personnes sont arrivées.

Imaginant que l'une d'elles était Daishan, la princesse sentit monter en elle une bouffée de joie.

Tandis qu'elle mettait pied à terre, la foule s'écarta. Sous le portique, près de l'entrée des thermes, se tenait un couple… mais il ne s'agissait pas de Daishan et Yuften.

Grand et athlétique, l'homme avait les cheveux blonds. Quant à la jeune fille, elle arborait une cascade de boucles rousses qui lui descendaient jusqu'à la taille. Dès qu'elle aperçut Samah, elle porta une main à sa bouche et s'élança à sa rencontre.

– Samah !

La princesse n'en croyait pas ses yeux.

– Kaléa, c'est vraiment toi ? s'émerveilla-t-elle en serrant la nouvelle venue dans ses bras. Est-ce possible que tu sois là, devant moi, petite sœur !

– Oui, c'est bien moi ! Comme cela fait longtemps et comme tu m'as manqué !

– Toi aussi ! Je n'ai pas passé un jour sans penser à toi !

Les deux sœurs se détaillèrent longuement. Elles avaient grandi, changé, mais au fond elles étaient restées les mêmes. La princesse ne put s'empêcher de sourire en remarquant les pieds nus de Kaléa. De qui tenaient-elles leur commune aversion pour les chaussures ?

– Ils sont arrivés le jour où vous êtes partis, expliqua le Grand-Père.

– J'ai entendu ta voix dans le jardin, ajouta Kaléa. Tu semblais très pressée et tu appelais ton cousin !

– Oui, il s'est produit une chose terrible. Mais avant tout, dis-moi ce qui t'amène ici et… qui est celui qui t'accompagne ! répondit Samah en désignant l'inconnu au teint pâle.

– C'est une longue histoire… répliqua sa sœur. Voici Gunnar, le prince des Glaces et époux de Nives.

– Nives s'est mariée ?!

– Eh bien, oui. Moi aussi, je ne l'ai appris que récemment, quand Gunnar a débarqué à Fleur d'oubli. Gunnar est arrivé au royaume des Coraux au terme d'un long voyage entrepris en compagnie d'Haldorr, notre bibliothécaire, tu te souviens de lui ?

– Bien sûr ! Ce cher vieil Haldorr !

À cet instant, Gunnar s'avança pour saluer Samah.

– Je suis ravi de faire votre connaissance, princesse ! dit-il en s'inclinant devant elle.

– Tout le plaisir est pour moi, prince.

Gunnar sourit avec embarras. S'habituerait-il jamais au titre de prince ?

Afin que ses hôtes puissent prendre leurs aises, Samah proposa de s'installer dans l'un des salons.

Elle leur montra le chemin, suivie de sa sœur, de Gunnar, d'Armal et du Grand-Père. De temps à autre, elle se retournait pour s'assurer que Kaléa était bel et bien là. Elle était si heureuse de la revoir qu'elle osait à peine y croire… même si, connaissant leur serment, elle se doutait que sa présence n'était pas de bon augure.

Lorsque Kaléa pénétra dans la salle de la Voûte céleste, elle ressentit une vive émotion.

– Je suis déjà venue ici, je m'en souviens. J'étais

encore petite, mais impossible d'oublier la splendeur de ce plafond !

– Tu te rappelles ? On le contemplait ensemble, puis on sortait voir si les étoiles étaient semblables dans le ciel !

– Et tu le fais encore ?

Samah acquiesça.

– Oh, comme j'aimerais que Nives, Diamant et Yara soient avec nous ! soupira Kaléa, les yeux humides.

– Courage, sœurette ! Nous serons un jour réunies, tu verras ! la réconforta Samah en l'étreignant encore.

– Pour l'heure, nous devons nous occuper d'une affaire très urgente, intervint Gunnar, focalisant aussitôt l'attention générale. Je suis allé trouver Kaléa car le royaume des Glaces éternelles a été attaqué.

– Comment ?! Mais par qui ? s'alarma Samah.

– Par le fils du Vieux Roi.

– Le Vieux Roi a eu un enfant ? demanda la princesse du Désert, stupéfaite.

– Oui, aucun de nous ne le savait, l'informa Kaléa. Un jour, il s'est présenté à Arcandide sous une fausse apparence et s'est mis à courtiser Nives.

– Quel être détestable ! déplora sa sœur.

– Pire, il est malfaisant et ne pense qu'à se venger de

ce que notre père a fait au Vieux Roi et à sa cour, précisa Kaléa.

– Au royaume des Glaces éternelles, il s'est allié à notre pire ennemi, Calengol, pour tenter de voler le couplet du *Chant du sommeil* conservé par Nives, raconta Gunnar.

– Y est-il parvenu ? s'enquit Samah, en portant une main à son front.

– Heureusement pas, mais il s'en est fallu de peu, termina le prince.

– Il a ensuite surgi à Fleur d'oubli en se faisant passer pour un pêcheur, relata alors Kaléa. Et là malheureusement, il est parvenu à ses fins. Il détient désormais un couplet : le mien.

– Si ce n'est deux… murmura Samah.

– Que veux-tu dire ?

– Que je dois immédiatement aller vérifier si mon propre couplet se trouve toujours dans sa cachette. J'ai peur qu'on l'ait volé.

– C'était cela l'événement terrible dont tu parlais tout à l'heure ? dit Kaléa. Je pensais que tu faisais allusion à la disparition de Daishan… On nous a expliqué ce qui s'est passé.

Samah hocha la tête.

– Les deux problèmes sont peut-être liés. Y a-t-il du nouveau à propos de ma cousine ? Armal et moi avons exploré toute notre zone, mais…

– Personne n'a réussi à la trouver, répondit son grand-père.

– Il faut tâcher de savoir au plus vite si votre strophe est toujours à sa place et si le Prince sans Nom a quelque chose à voir avec la disparition de Daishan ! conclut Gunnar.

Samah l'approuva entièrement, puis évoqua Rubin Blue et ce qui s'était passé à l'Académie.

– Voici ce que nous allons faire, annonça-t-elle : je vais aller voir si le couplet est toujours en lieu sûr, pendant que vous tenterez de glaner des informations en ville. Armal, essaie de savoir si Rubin Blue a parlé à quelqu'un et révélé où il allait. Qui sait, peut-être auras-tu de la chance !

– Entendu.

Tous sortirent du salon, puis se séparèrent pour accomplir leur mission.

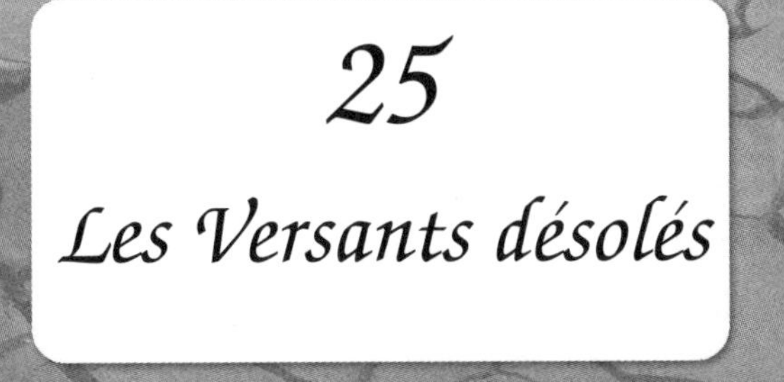

25
Les Versants désolés

Montée sur sa fidèle Amira, Samah entama l'ascension des Versants désolés. Chemin faisant, elle ne cessait de se dire que ce lieu sans vie portait bien son nom. Il n'y poussait ni fleurs ni arbustes, pas même un brin d'herbe. De temps à autre, un faucon planait dans le ciel, plus pour jouer avec les courants ascendants que pour chasser, car les proies étaient rares dans cette zone. Émettant de mystérieux et inquiétants sifflements, le vent y régnait en souverain.

Ayant perçu au premier coup d'œil l'angoisse et l'urgence qui animaient sa maîtresse, Amira progressait rapidement.

Bien que la princesse connût la route, les tempêtes qui

s'abattaient souvent sur ces hauteurs en modifiaient complètement le paysage. Mieux valait donc ne pas trop se fier à sa mémoire et se laisser guider par Amira, qui avançait sans hésiter. Partout où portait son regard, la jeune fille ne voyait que de la pierre, sombre et tranchante.

Au terme d'une longue montée, Samah et Amira parvinrent au sommet de la première montagne, qu'elles redescendirent par un versant abrupt et accidenté, sur lequel la jument peinait à se stabiliser. Elles arrivèrent alors au fond d'une gorge, qui était l'ancien lit d'une rivière tarie.

Voyant combien ses parois étaient lisses, Samah songea qu'il devait encore y couler beaucoup d'eau au moment des grandes pluies.

Le claquement des sabots d'Amira produisait un écho sinistre.

Caressant sa crinière, Samah lui murmura :

– Courage, Amira ! Plus tôt nous repartirons, mieux ce sera !

L'animal lui répondit en renâclant, pressa l'allure et s'engagea dans un étroit sentier, qui menait au second sommet, leur destination. La jument l'aborda comme le premier : en recherchant des prises sur une pente raide couverte d'éboulis.

Les Versants désolés

Une fois en haut, Samah mit pied à terre, observée dans chacun de ses mouvements par la prévenante Amira.

À ses pieds se trouvaient cinq cailloux représentant chacun des Cinq Royaumes. Se repérant à partir de la position du soleil, la princesse souleva celui qui était situé au sud et… son visage exprima un profond désespoir. Sous le caillou, il n'y avait plus qu'un trou. Plus trace de la feuille d'argent.

– Oh, non ! On l'a bel et bien volée !

La vue brouillée par des larmes de colère, elle s'empressa de remettre la pierre en place.

Cette fois, c'était

certain : quelqu'un en avait après son couplet du *Chant du sommeil* !

Mais qui ? Rubin Blue ? Ou… Daishan ?

Elle refusait encore de croire à cette seconde hypothèse.

Remontant sur sa jument, elle la pria de la ramener chez elle en galopant plus vite que le vent. Elle devait regagner Rochedocre immédiatement : le royaume du Désert courait un grand danger !

26
En quête d'informations

rmal, Kaléa et Gunnar se rendirent auprès des parents de Yuften, qui séjournaient toujours dans la petite maison donnant sur la place centrale. Ils avaient renoncé à quitter Rochedocre comme les autres marchands quelques jours plus tôt afin d'attendre des nouvelles du garçon.

Expliquant qu'elle était la sœur de Samah, Kaléa leur posa quelques questions sur les deux fugitifs, dans l'espoir de recueillir de nouveaux éléments d'information. La mère de Yuften les accueillit chaleureusement, mais ne leur apprit rien de neuf.

Tout ce qu'elle put dire à Kaléa était que, le temps

passant, l'espoir cédait le pas à de sombres pensées dans son cœur.

La princesse des Coraux la réconforta de son mieux :

– Je sais ce qu'il en coûte d'être séparé de ceux que l'on aime, surtout contre son gré. Mais vous devez rester confiante : nous ferons tout notre possible pour retrouver votre fils et Daishan !

Armal, qui attendait sur le pas de la porte sans prendre part à la conversation, commençait à perdre patience.

En quête d'informations

La fuite des deux jeunes gens mettait son calme coutumier à rude épreuve.

« Ces deux-là n'ont pas idée de la souffrance qu'ils engendrent ! » ne cessait-il de se répéter.

En baissant les yeux, la mère du jeune homme confia à Kaléa :

– Yuften a toujours eu un caractère rebelle. Je suis affreusement désolée…

– Nous avons essayé par tous les moyens de le faire rentrer dans le rang, sans aucun résultat ! ajouta le père, d'un air contrit.

– Mais il n'est pas méchant ! intervint Nuasef, qui jusqu'alors n'avait pas pipé mot. Le problème est qu'il agit sans réfléchir, puis il se retrouve dans le pétrin…

Armal se retourna pour l'observer : Nuasef devait avoir quatorze ou quinze ans, mais ses yeux révélaient une capacité de jugement bien plus développée que celle des garçons de son âge.

– Nous les reverrons ! le rassura Armal.

Le garçon sourit.

Gunnar, quant à lui, était sorti réfléchir à l'extérieur.

En affrontant le Prince sans Nom, il avait appris à se méfier des apparences. Ainsi, avant de connaître les parents de Yuften, n'avait-il pas exclu qu'ils aient

menti pour couvrir la fugue de Daishan. Au royaume des Glaces éternelles, le Prince sans Nom s'était servi d'un être malfaisant, Calengol, pour servir ses desseins, pourquoi n'aurait-il pas choisi cette fois de manipuler Yuften ou sa famille ? Pourtant, une fois confronté au couple de marchands, il lut la douleur dans leur regard et tous ses doutes s'évanouirent. Et il en alla de même avec Nuasef, lorsqu'il l'entendit parler.

Il se promit alors de scruter également les yeux de Yuften, lorsqu'ils le trouveraient.

En tout cas, une chose était certaine : si le Prince sans Nom avait quelque chose à voir avec cette affaire, il s'était encore joué d'eux en brouillant habilement les pistes.

Kaléa fit quelques vérifications supplémentaires, sans rien découvrir de plus.

Cependant, à la fin de la visite, la mère de Yuften lui révéla, presque par hasard, un détail qui retint l'attention de la jeune fille, mais aussi celle de Gunnar et d'Armal. Tous trois convinrent donc d'en parler à Samah au plus vite.

27
Échos de la ville

En rentrant des Versants désolés, Samah trouva Gunnar, Kaléa et Armal en plein conciliabule dans la cour.

– Je suis là, les avisa-t-elle d'un ton grave.

Gunnar et Armal comprirent aussitôt qu'elle ne rapportait pas de bonnes nouvelles.

– Alors ? s'enquit fébrilement Kaléa, qui ne perdait jamais espoir.

– Le couplet a disparu. On l'a volé…

Le silence s'abattit sur la cour. Se décidant à le rompre, Armal demanda :

– Cela signifie que nous sommes en danger ?

– Je crains que oui, répondit Samah.

Fixant le jeune homme, la princesse regretta de ne pas lui avoir tout dit. Son cousin était un garçon raisonnable, qui méritait toute sa confiance.

– Armal, le moment est venu de te raconter l'histoire de la feuille d'argent et de t'expliquer l'importance qu'elle a dans le destin des Cinq Royaumes.

– En fait… je m'en suis chargée, annonça Kaléa non sans appréhension. Pardonne-moi, Samah, c'était à toi de le faire, mais j'ai pensé que sans cela Armal ne pourrait pas comprendre la situation.

Tous retinrent leur respiration en attendant la réaction de la princesse.

– Tu as eu raison, finit-elle par répondre.

Les deux sœurs se sourirent. Côte à côte, leur éclat semblait celui de deux pierres précieuses.

– C'est une initiative judicieuse… et un bon moyen de souder notre famille, poursuivit Samah en regardant Armal.

En prononçant ces mots, elle se sentit un peu moins seule face à la menace que le Prince sans Nom faisait peser sur son royaume.

– Êtes-vous allés parler aux parents de Yuften ? demanda-t-elle ensuite. Avez-vous découvert quelque chose ?

– Peut-être, mais nous n'en sommes pas sûrs. Ils ont aperçu Rubin le matin où Daishan s'est enfuie. Ils l'ont remarqué parce que son physique n'est pas courant dans la région.

– Où se trouvait-il ?

– Sur la place centrale. Il se constituait une provision d'eau et de vivres comme pour un long voyage, et il y a autre chose, ajouta Kaléa. Il semblait particulièrement intéressé par les Versants désolés. Apparemment, c'est là qu'il comptait se rendre.

Samah tressaillit. Ces informations confirmaient ses soupçons. Mais comment Rubin avait-il pu savoir que la feuille d'argent se trouvait là-haut ? Avait-il arraché cet aveu à Daishan ? Quand ? Et surtout comment ? Elle espéra de tout son cœur qu'il n'avait pas fait de mal aux deux jeunes gens.

– Peut-être le Prince sans Nom et Rubin sont-ils une seule et même personne, hasarda Kaléa. Notre ennemi peut utiliser la magie pour modifier son apparence. Et peut-être a-t-il découvert l'endroit où tu cachais la feuille en recourant à quelque autre sortilège.

Gunnar ne semblait pas convaincu.

– Moi, je pense que le Prince sans Nom, ou celui qui travaille pour lui, n'est autre que Yuften, déclara-t-il.

Stupéfaits, tous se tournèrent vers lui.

– Il pourrait avoir convaincu Daishan de dérober le couplet en l'envoûtant pour la faire tomber amoureuse de lui, ou en faisant intervenir son fidèle assistant, le coléoptère cobalt.

– Le coléoptère cobalt ?

– Quand nous avons compris que, durant le séjour du Prince sans Nom à Arcandide, Nives avait été en quelque sorte hypnotisée, Haldorr et moi avons fait des recherches et découvert l'existence de cet insecte. Il fredonne une sorte de litanie à l'oreille de personnes endormies afin de soumettre leur volonté à la sienne.

– Mais c'est terrible ! s'écria Samah. Et il est au service de ce sinistre personnage ?

– C'est presque certain. J'ai vu l'un de ces coléoptères dans la chambre de Nives avant que le Prince s'enfuie.

À cet instant arriva le Grand-Père.

– Je suis descendu vous annoncer que… Dasin a tissé une nouvelle tapisserie !

28
La deuxième tapisserie de Dasin

Tous montèrent dans la chambre de Dasin et, comme à l'accoutumée, trouvèrent la vieille dame derrière son métier à tisser.

Comme celle-ci n'avait pas l'habitude de recevoir de visites, surtout de groupes, elle avait l'air légèrement intimidée.

– Dasin, regarde qui est venue nous voir ! dit Samah pour la mettre à l'aise.

La tisseuse regarda les deux inconnus sans comprendre.

– La princesse des Coraux, en chair et en os ! lui révéla Samah en souriant.

À ces mots, la vieille dame se leva, fit quelques pas vers Kaléa pour la voir de plus près et soudain la reconnut.

– Ma petite fille ! s'exclama-t-elle en lui ouvrant les bras.

Kaléa avança vers Dasin avec quelque hésitation ; mais quand la vieille dame la pressa contre elle, des souvenirs enfouis depuis longtemps remontèrent comme des bulles à la surface de sa mémoire. Elle se rappela l'odeur des épices et des teintures qui imprégnaient les mains et les vêtements de la tisseuse.

Fermant brièvement les yeux, elle s'imagina à nouveau enfant, au milieu de ses parents et de ses sœurs. Cette douce rêverie renforça sa détermination : il fallait à tout prix arrêter le Prince sans Nom.

Desserrant son étreinte, Dasin se tourna vers Gunnar.

– Et vous, beau jeune homme, qui êtes-vous ?

– Je m'appelle Gunnar et je viens du royaume des Glaces éternelles.

Les yeux de la vieille dame se voilèrent de larmes.

– Ah, Nives…

– Gunnar est son mari ! lui annonça Samah.

Alors, Dasin l'embrassa lui aussi.

– Saluez ma petite fille pour moi, quand vous rentrerez à Arcandide. Est-elle toujours aussi jolie et rebelle que quand elle était petite ?

Cette description amusa Gunnar.

– Je crains que oui, répondit-il.

Tous éclatèrent de rire. Puis des questions plus graves et urgentes les obligèrent à se concentrer sur la nouvelle tapisserie. Peut-être leur fournirait-elle de nouveaux indices pour retrouver la trace des deux disparus.

Dasin retourna s'asseoir derrière son métier, et ils firent cercle autour d'elle.

– C'est arrivé ce matin, expliqua la vieille dame. J'ai senti un vent étrange entrer par la fenêtre et je me suis mise à tisser. Comme au début j'étais incapable de distinguer le motif qui apparaissait, j'ai préféré avancer avant de vous prévenir.

Tous les regards étaient braqués sur la toile, qui représentait deux personnages à terre, un garçon et une fille.

– Elle semble évanouie, déclara Samah en désignant la figure féminine adossée à un arbre. Ce pourrait être Daishan…

– Et Yuften ? intervint Armal.

– J'en ai bien l'impression, répondit le Grand-Père.

– Mais où sont-ils ? demanda Samah.

Les deux jeunes gens se trouvaient dans un lieu ressemblant à mille autres. Tout autour d'eux, il n'y avait que du sable et deux arbres, dont l'un était sans conteste un baobab.

– Armal, va chercher Ajar, s'il te plaît. Peut-être pourra-t-il nous renseigner.

– J'y cours !

Sans mot dire, le petit groupe attendit en continuant à scruter la tapisserie. Quelques minutes plus tard, Armal réapparut, suivi du guide du désert.

– Ajar, aide-nous, je t'en prie ! le conjura Samah. Nous pensons que ces deux personnages sont Daishan et Yuften, mais nous n'arrivons pas à les localiser.

L'homme s'approcha du métier à tisser, posa sur la toile son regard acéré et se mit à l'examiner dans les moindres détails.

Au bout de quelques instants de silence absolu, Ajar affirma :

– Je connais cet endroit.

– Tu en es sûr ? s'enquit le Grand-Père.

– Oui.

– Où est-ce ? le pressa fébrilement Kaléa.

– Il s'agit d'une petite oasis que très peu de gens connaissent. Elle est proche des Versants désolés.

– À quoi l'as-tu reconnue ? voulut savoir Armal, qui enviait à Ajar sa parfaite connaissance du désert.

– Ces deux arbres sont un manguier et un baobab. Dans le royaume, il n'y a qu'une oasis où ils poussent côte à côte.

Un vent d'espoir souffla dans la pièce.

– Merci, Ajar ! Comme toujours, tu nous as été extrêmement utile.

– Allons-y ! s'exclama Armal.

– Je peux venir avec vous, proposa Gunnar. Mon expérience pourrait vous servir.

– Certainement ! accepta la princesse. Je vous en suis très reconnaissante.

– Quant à moi, mieux vaut que je reste au palais avec grand-père, estima Kaléa. Si pour une raison ou une

autre, le Prince sans Nom venait ici, je saurais le reconnaître et peut-être même l'affronter.

Samah fixa sa sœur avec affection : la fillette douce et émotive dont elle se souvenait avait fait place à une jeune fille mûre et résolue. Elle était très fière d'elle.

Prenant congé de Dasin, Samah ordonna au palefrenier de seller les chevaux.

– Toi, Kel-Radek, tu resteras à Rochedocre, ajouta-t-elle. On pourrait avoir besoin de toi ici.

– Comme vous préférez, princesse.

En quelques minutes, l'expédition fut prête à partir.

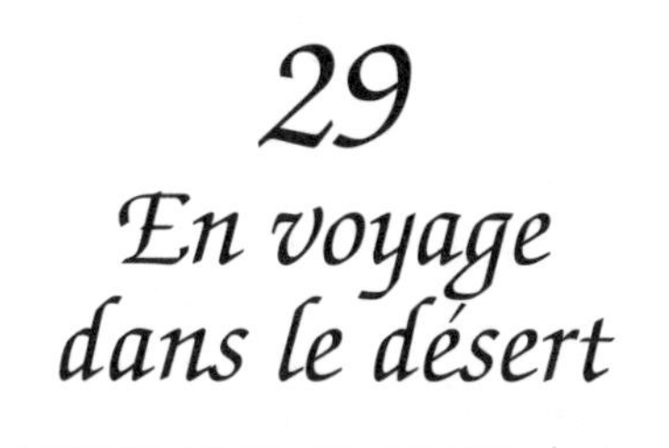

29
En voyage dans le désert

Le petit groupe chevaucha jusqu'à la fin du jour. Ce fut un voyage silencieux. Chacun galopait, plongé dans des réflexions qui défilaient dans sa tête comme les dunes sous les sabots de son cheval.

Au crépuscule, Ajar avertit ses compagnons :

– Bientôt, l'obscurité sera complète. Je vous propose de faire halte pour la nuit.

Supportant mal l'idée de perdre un temps précieux, Samah aurait voulu mettre à profit ce qui restait de cette journée.

– Ne peut-on continuer ? s'enquit-elle.

– Nos montures sont fourbues : il faut les abreuver et les laisser se reposer. Près d'ici, il y a une oasis riche en

eau qui peut faire l'affaire. La source suivante est trop éloignée : ces malheureuses bêtes n'y arriveront pas. Et puis, maintenant qu'il fait noir, nous aurions du mal à la trouver.

– D'accord, consentit la princesse. Demain, nous repartirons aux premières lueurs de l'aube.

Peu après, ils parvinrent à l'oasis. Il s'agissait d'un endroit protégé avec, comme il l'avait annoncé, un vaste point d'eau entouré de palmiers. Les coursiers burent à volonté, tandis que leurs maîtres montaient les tentes.

– Établissons des tours de garde, proposa le guide, une fois qu'ils furent installés. Si cela vous convient, prince Gunnar, vous commencerez; puis Armal prendra le relais, et enfin moi jusqu'à l'aurore.

– Parfait, je suis à votre disposition! Mais je vous en prie, mes amis, appelez-moi simplement Gunnar et tutoyez-moi!

Tous sourirent et acquiescèrent. S'ils avaient su que Gunnar avait jadis été un loup, ils auraient mieux compris sa gêne à porter son nouveau titre.

Un peu plus tard, Armal et Ajar s'endormirent sous la tente, vaincus par la fatigue.

Demeurés près du feu, Gunnar et Samah contem-

plèrent le ciel étoilé au-dessus de leurs têtes en s'abandonnant à leurs pensées.

Samah fut la première à rompre le silence :

– Tu es très inquiet, n'est-ce pas ?

– Oui, car je connais la malfaisance de cet homme.

– Pourquoi l'appelez-vous le Prince sans Nom ?

– Parce que faute d'avoir une identité bien à lui, il vole celle des autres. À Arcandide, je l'ai affronté dans un combat féroce, dont je porte encore les traces.

– Est-ce possible ?!

– C'est un individu sans scrupule, rompu aux arts occultes. Connais-tu quelque chose à la magie, Samah ?

– Absolument rien ! Notre père a tenu à la bannir des Cinq Royaumes. Certes, il en reste des traces dans certains endroits et sur certains objets, mais jamais je

n'aurais pensé que l'on pouvait encore ensorceler des choses ou des gens.

– C'est ce que je croyais, moi aussi. Mais votre père ne pouvait prévoir que le Vieux Roi avait un fils sur lequel le *Chant du sommeil* n'agirait pas. D'ailleurs…

Gunnar ne savait s'il devait révéler sa propre histoire à la princesse. Mais après tout, il n'avait pas de raison de se taire : Samah était la sœur de son épouse et sous certains aspects elle lui ressemblait beaucoup. Toutes deux étaient déterminées et courageuses, mais, certainement parce qu'elle était l'aînée des cinq sœurs, Samah avait un caractère plus sérieux.

Il pouvait lui faire confiance.

– … quand j'étais très jeune, j'ai moi-même croisé le chemin d'une femme qui savait utiliser les maléfices, commença-t-il. Un soir, en rentrant à mon village, j'ai fait une mauvaise rencontre : des bandits m'ont détroussé et jeté dans le cratère d'un volcan en me laissant pour mort.

La princesse l'écoutait sans mot dire.

– Au bout d'un certain temps, Alifa, la gardienne du volcan, est venue me voir et m'a proposé de me sauver si j'acceptais de continuer à vivre… sous une autre forme. C'est ainsi que, par un sortilège, elle a fait de moi un loup blanc.

En voyage dans le désert

– Et après, que s'est-il passé ? s'enquit Samah, les yeux écarquillés.

– J'ai vécu avec mes congénères jusqu'au jour où j'ai appris qu'Arcandide recrutait des gardes. J'ai alors été reçu par ta tante Berglind, qui m'a choisi comme chef de l'armée du royaume des Glaces éternelles.

– Tu étais l'un des loups de la Garde royale ?!

L'image de ces bêtes était restée gravée dans la mémoire de Samah, car elle avait eu très peur en les voyant pour la première fois lors d'une de ses visites à Arcandide.

– Nous nous sommes donc déjà rencontrés…

– Eh oui, répondit Gunnar. Je me souviens de toi et de tes sœurs, même si cela remonte à longtemps.

– Et après ? Comment es-tu redevenu humain ?

– Grâce à Nives. J'étais toujours près d'elle : je la protégeais, je veillais sur elle… et petit à petit je me suis mis à l'aimer. Sans qu'elle s'en rende compte, il en est allé de même pour elle. Le jour où je suis rentré de ma lutte infructueuse contre le Prince sans Nom, j'étais sur le point de mourir, quand elle m'a pris dans ses bras et s'est mise à pleurer. Ses larmes ont brisé le maléfice d'Alifa et j'ai retrouvé mon apparence. Personne ne pouvait y croire : l'amour s'était révélé plus fort que la magie !

– C'est vraiment… extraordinaire ! commenta Samah, émerveillée.

Gunnar sourit dans le noir, tandis que la princesse en revenait à la disparition de sa cousine :

– J'espère que ce scélérat n'a pas touché à un cheveu de Daishan ; autrement, il aura affaire à moi !

Sur ces mots, elle se leva.

– Je vais me reposer. Demain sera une longue journée. Bonne nuit, Gunnar.

– Bonne nuit, Samah.

Le prince d'Arcandide demeura seul à fixer les étoiles. L'air du désert était devenu plus frais et plus intensément parfumé. Tout en promenant ses yeux de loup sur l'horizon obscur, il adressa une pensée des plus tendres à Nives, qui en cet instant était si loin de lui…

30
Daishan et Yuften

La nuit fut paisible et aux premières lueurs du jour, la petite expédition s'apprêta à repartir.

– Combien de temps faudra-t-il pour atteindre l'oasis aux deux arbres ? demanda Samah.

Finissant d'ajuster son turban sur sa tête, Ajar répondit :

– Moins d'une journée, mais il faut se dépêcher, car une tempête de sable approche.

– Une tempête ?! s'étonna Armal.

Le guide huma l'air avant de préciser :

– Elle se trouve actuellement à l'est de notre position, mais progresse rapidement.

– Alors, partons ! trancha la princesse, déjà montée sur Amira.

Elle savait parfaitement que si cette perturbation les rattrapait, leurs chances de ramener les deux jeunes gens sains et saufs diminueraient. Ce matin-là, même sa jument semblait inquiète. Percevait-elle, comme Ajar, l'arrivée prochaine de ces vents violents ?

Ils passèrent une nouvelle journée à cheval.

Habitué au froid rigoureux du royaume des Glaces éternelles, Gunnar se fatiguait plus vite que les autres. À travers le foulard qui lui couvrait le visage jusqu'aux yeux, il avait du mal à respirer l'air chaud du désert.

Quant au paysage, il lui rappelait celui qui s'étendait à perte de vue autour d'Arcandide : d'interminables espaces s'étirant jusqu'à l'horizon ; à la seule différence que ceux-ci étaient couverts de sable et non de neige. Sans guide, il aurait été bien incapable de s'orienter au milieu de ces terres brûlées par le soleil, songea-t-il.

Le soir venu, les quatre cavaliers notèrent d'étranges bourrasques saturées de sable en provenance de l'est.

– La tempête est proche, annonça Ajar.

– Déjà ? fit la princesse.

– Je pensais qu'elle avancerait plus lentement, mais elle a dû prendre de la vitesse chemin faisant, estima le guide. Il faut accélérer.

Daishan et Yuften

– Sommes-nous encore loin de l'oasis ? demanda Gunnar.

– Elle est tout près : juste derrière ces dunes ! assura Ajar en désignant un point devant lui.

Le petit groupe repartit au galop. En s'enfonçant dans le sable, les sabots des chevaux soulevaient des nuées de fines particules, qui se dispersaient dans le vent.

S'adressant au prince des Glaces, qui chevauchait à ses côtés, Samah déclara :

– Nous sommes dans de bonnes mains ! Ajar ne s'est jamais trompé : il connaît le désert comme sa poche !

Armal éperonna son cheval pour lui faire gravir une haute dune, afin d'élargir son champ de vision.

– Ça y est, Ajar ! Je la vois ! s'exclama-t-il, une fois parvenu au sommet.

Le guide le rejoignit, scruta l'horizon tremblotant dans la direction indiquée par le jeune homme, puis secoua la tête.

– Non, Armal, ce n'est qu'un mirage. L'oasis est à l'opposé.

– Tu en es certain ? Moi qui me croyais dans mon élément…

Le guide lui sourit.

– Le désert ne se limite pas à ce que tu vois, Armal. C'est une créature mutante, instable, jamais égale à elle-même : il ne faut pas s'y fier. Ces dunes ont encore bien des secrets pour toi, mais dans quelques années tu seras un guide accompli !

Impressionné par les paroles d'Ajar, le jeune homme acquiesça pensivement.

Le groupe tenta de galoper encore un peu, mais leur visibilité diminuait. Ne se contentant plus de soulever le sable, les bourrasques le projetaient en hauteur, élevant un rideau de plus en plus dense devant les voyageurs.

Effrayées, leurs montures finirent par se braquer et tirer sur leurs rênes. Les cavaliers, qui ne voyaient plus qu'un opaque mur de sable, tentèrent de les maîtriser,

en vain. Les chevaux avaient flairé la peur des hommes et ne leur obéissaient plus.

Craignant le pire, Ajar hurla aux autres de ne pas se séparer. Soudain, mue par ce qui ressemblait à une intuition, Amira se détacha du groupe et fonça vers l'impalpable écran.

– Où m'emmènes-tu ? lui demanda la princesse.

Sa jument avait remarqué quelque chose, elle en était certaine.

Les trois autres chevaux attendirent en hennissant.

– Venez ! Je crois que je l'aperçois ! appela brusquement Samah, au cœur du nuage de sable.

Ajar la rejoignit en premier et confirma :

– C'est l'oasis ! Allons-y !

Tous le suivirent et bientôt les quatre cavaliers entrevirent deux gros arbres : un manguier et un baobab !

– Ce sont les mêmes que sur la tapisserie de Dasin. Bravo, Amira ! se réjouit la princesse en caressant la crinière de sa jument.

– Pourvu qu'il ne soit pas trop tard, marmonna Gunnar.

De très hautes dunes cachaient une oasis aux dimensions modestes, qu'on ne risquait guère de trouver si on ne la connaissait pas.

Daishan et Yuften

Les quatre voyageurs descendirent de leurs montures et, les menant par les rênes, poursuivirent à pied.

Impatiente de retrouver Daishan, la princesse prit la tête du petit groupe qui progressait vers les arbres. Sa cousine ne pouvait plus être loin, elle le sentait.

– Regardez là-bas ! s'exclama-t-elle soudain.

Elle courut vers le baobab, suivie des trois autres. Exactement comme sur la toile de Dasin, deux silhouettes étaient adossées à son tronc.

Tout à coup, la princesse tressaillit : à demi couchée,

Daishan ne bougeait pas. Un jeune homme épuisé, qui devait être Yuften, la veillait.

D'un même élan, la princesse et Armal s'élancèrent vers la jeune fille pour la prendre dans leurs bras, tandis que Gunnar scrutait le sable en quête d'éventuelles traces de magie.

Sans cesser de fixer sa sœur inanimée, Armal invectiva Yuften :

– Que lui as-tu donc fait ?!

Mais le garçon ne répondit pas. Il était à bout de forces.

– Donnons-lui d'abord de l'eau ! intervint Ajar en lui tendant une gourde.

Après avoir bu, Yuften sembla retrouver un semblant d'énergie.

– Je dois vous dire… murmura-t-il péniblement.

– La tempête va nous enterrer vivants ! l'interrompit le guide. Nous devons vite nous trouver un abri pour la nuit !

– Daishan… piquée par un scorpion tigre…

– Oh non ! soupira Armal.

– Il faut agir vite, sinon elle mourra, déclara Samah sans perdre son calme. Quand est-ce arrivé ?

– Je ne sais plus… Hier peut-être…

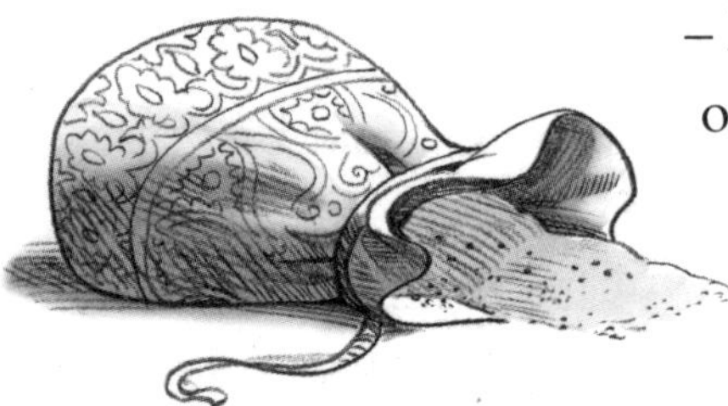

– Montre-moi où est la plaie ! ordonna Ajar.

Yuften indiqua le dessous de l'oreille gauche de la jeune fille, où apparaissaient des signes évidents de piqûre.

– Espérons qu'il est encore temps… marmonna le guide.

Il sortit alors de sa sacoche une petite bourse fermée par un cordon en cuir, en retira une pincée de poudre vert clair, qu'il déposa dans sa paume. Aussitôt, il referma la main pour éviter que le vent emporte le médicament. Puis il y versa quelques gouttes d'eau et modela une minuscule boule de pâte, qu'il étala sur la piqûre.

Quelques instants plus tard, la zone atteinte n'était déjà plus aussi enflammée.

– Vite, emmenons-les. Bientôt, la tempête tournera au cauchemar par ici ! insista Ajar en regardant autour de lui.

Tous s'exécutèrent sur-le-champ.

31

Une dure nuit

La nuit s'annonçait inhospitalière, bien plus froide que la précédente.

Après être parvenue au pied d'une basse montagne couverte d'éboulis, la petite troupe dénicha, quelques milles à l'ouest, un endroit abrité. Le désert était aussi agité qu'un océan déchaîné, le vent projetait contre leur précaire refuge des tourbillons de sable aussi cinglants que des coups de fouets.

Il n'y avait ni étoiles ni lune dans le ciel, pas la moindre lumière pour éclairer ces heures.

Samah, Armal et Gunnar se réunirent dans l'une des tentes pour entendre le récit de Yuften, tandis qu'Ajar restait dans l'autre pour veiller Daishan.

Encore très éprouvé, Yuften parlait avec difficulté, mais la nourriture et la boisson qu'il venait d'absorber lui avaient redonné des forces.

– Raconte-nous tout depuis le début ! lui ordonna Samah, guère encline à lui pardonner de s'être enfui avec sa cousine.

Yuften commença son récit :

– Nous nous sommes rencontrés le premier jour du marché des Sables, le matin de mon arrivée à Roche-docre. La première personne que j'ai vue en entrant dans la cité, c'était elle… C'est difficile à expliquer, mais nous nous sommes immédiatement sentis liés par une complicité particulière, comme si un lien secret nous unissait. Les jours suivants, Daishan est venue me voir plusieurs fois à l'étal de mes parents. Nous avons passé ensemble tout le temps dont nous disposions ; mais moi, j'étais hanté par l'idée que le marché serait bientôt fini et que j'allais repartir. À la seule pensée de me séparer d'elle et de ne plus la voir pendant un an, j'avais l'impression de manquer d'air… Jamais cela ne m'était arrivé auparavant, je vous le jure.

Yuften marqua une pause, comme pour reprendre son souffle… et un peu de courage.

– Pour rester ensemble le plus longtemps possible, je

lui ai proposé de partir avec ma famille lorsque le marché serait fini. Je voulais lui montrer mon village, au bord de la Verte Plaine. J'ai été trop impétueux, j'en suis bien conscient ; si vous saviez combien je le regrette… Mais cela me semblait l'occasion de mieux nous connaître, et, Dieu sait comment, je m'étais même convaincu que mes parents seraient d'accord…

Samah le dévisageait d'un air perplexe.

– Continue ! lui dit-elle.

– Sur le coup, Daishan a eu l'air effrayée, reprit-il en baissant la tête. Mais le lendemain, elle était dans un tout autre état d'esprit : elle voulait absolument partir avec nous ! J'étais incapable de comprendre ce qui s'était passé, je n'arrivais pas à y croire… C'était comme si, venue à bout de ses résistances, la nuit lui avait conseillé de me suivre.

À ces mots, Gunnar visualisa le coléoptère cobalt sur l'oreiller de Nives endormie. Peut-être, comme il le soupçonnait, l'insecte avait-il manipulé la cousine de Samah, plus ingénue et malléable que la princesse, soumettant la volonté de la jeune fille à ses sombres desseins ?

– Daishan m'a dit qu'elle courait vous en parler, princesse, poursuivit le garçon. J'espérais qu'elle reviendrait

rapidement m'apprendre si vous lui aviez accordé votre permission, mais les heures sont passées sans que je reçoive la moindre nouvelle d'elle. J'étais triste et inquiet, mais je savais qu'il était trop tard pour me présenter à la cour. J'ai alors décidé de me rendre au palais dès le lendemain, pour tout vous expliquer, mais entretemps l'affaire a pris un autre tour…

Samah n'avait pas perdu un mot de son récit. Jusque-là, l'histoire était limpide. La version de Yuften concordait avec celle qu'elle connaissait.

Mais à présent, il s'agissait de découvrir le chaînon manquant : l'épisode entre la fuite de Rochedocre et la découverte des deux jeunes gens dans cette oasis !

– Courage, Yuften ! Dis-nous ce qui est arrivé après…

– Cette nuit-là, je n'arrivais pas à dormir. Même en

contemplant le ciel, impossible de trouver le calme ! Soudain, j'ai aperçu une silhouette furtive derrière moi : c'était Daishan ! Les yeux écarquillés, elle haletait sans presque pouvoir parler. Puis elle s'est reprise et m'a supplié de lui confier le cheval de mon père pour gagner les Versants désolés. Elle n'arrêtait pas de parler d'une feuille d'argent, qu'elle devait récupérer de toute urgence.

– Oh non… soupira la princesse. Qu'as-tu fait ?

– J'ai essayé de la raisonner, mais sans succès. Elle s'obstinait à répéter que la feuille était en danger et que le salut du royaume dépendait d'elle et de ce précieux objet. Elle ne semblait plus elle-même. À ce moment, j'ai estimé qu'il valait mieux l'aider en l'escortant jusqu'à ces montagnes… dont le nom ne me disait rien qui vaille.

Samah se mordit la lèvre en pensant que le couplet avait été dérobé par sa propre cousine.

– Nous sommes partis à cheval, mais une fois arrivés près des Versants désolés, Daishan a voulu continuer toute seule. Pas moyen de l'accompagner. Elle prétendait que seuls les membres de la famille royale peuvent y pénétrer et en ressortir indemnes. Sa voix était inexpressive et son regard vide, comme si on l'avait hypnotisée. J'ai eu peur : elle était méconnaissable !

– Et puis ?

– Après un temps qui m'a paru interminable, elle est revenue avec ce qu'elle cherchait.

– La feuille d'argent ? demanda Samah.

– Oui, elle serrait contre elle un petit écrin en bois orné de marqueterie, comme si elle craignait qu'on le lui arrache. Sans un mot, nous sommes repartis vers Rochedocre. Mais alors que nous venions de quitter les montagnes, j'ai remarqué qu'on nous suivait : un homme sur un cheval blanc.

Samah frémit.

– Flairant le danger, j'ai lancé notre propre monture en direction du désert. J'espérais semer notre poursuivant en l'entraînant dans un traquenard : un endroit infesté de scorpions tigres. Bien sûr, cela nous faisait courir un risque, mais il fallait nous débarrasser de lui… Malheureusement, cela n'a pas été une bonne idée : notre cheval, déjà épuisé par l'ascension des Versants désolés, a commencé à perdre du terrain, et au bout de quelques heures, l'inconnu nous a rejoints.

– Qui était-ce ?

– Un jeune voyageur, un homme blond à la peau claire et aux yeux intensément bleus que j'avais déjà remarqué au marché, quelques jours plus tôt : c'est un marchand spécialisé dans la recherche d'objets.

Une dure nuit

– Rubin Blue ! s'exclama Armal, qui jusque-là était resté silencieux.

– Raconte-nous la suite, Yuften ! lui intima de nouveau la princesse.

– Sans chercher à nous faire du mal, il a simplement pris l'écrin des mains de Samah et s'est remis en route. Ce que je ne comprends pas, c'est pourquoi Daishan n'a pas essayé de protéger la feuille d'argent, pourquoi elle ne lui a opposé aucune résistance ! Elle avait l'air absent et las,

comme si, après avoir fourni un immense effort, plus rien ne lui importait, ni son précieux objet, ni l'étranger.

– Eh bien, tout coïncide : c'est Rubin qui voulait s'emparer du couplet… commenta Samah. Néanmoins, explique-moi encore une chose, Yuften : le bon sens aurait voulu que vous rentriez immédiatement à Rochedocre. Pourquoi ne l'avez-vous pas fait ?

– C'était bien notre intention, princesse, mais nous avions besoin de repos, en particulier Daishan. Nous avons aperçu une oasis au loin et nous avons tenté de l'atteindre, mais c'était un mirage et nous nous sommes perdus. Nous avons alors erré pendant plusieurs jours avec peu de nourriture et une maigre réserve d'eau. Heureusement, nous avons fini par découvrir une véritable oasis, où vous nous avez retrouvés. Comme elle était plantée d'un manguier et d'un baobab, nous avons… ou plutôt j'ai décidé, car Daishan était toujours apathique, de nous y arrêter pour reprendre des forces. Le deuxième jour, en s'étendant sur le sable, votre cousine a, sans le savoir, posé la tête près d'un scorpion tigre, qui l'a piquée. Aussitôt, elle s'est sentie mal, puis a perdu connaissance. Pour couronner le tout, notre cheval a commencé à s'agiter et s'est enfui. J'ai pensé qu'il avait peur des scorpions, or je sais maintenant qu'il

sentait venir la tempête. Quant à moi, je n'avais plus une goutte d'eau et celle de l'oasis était trouble et salée…

– Il aurait fallu la faire bouillir ! le sermonna gravement Armal.

– J'étais presque incapable de bouger et je ne voulais pas laisser Daishan. Je ne pouvais plus qu'espérer l'arrivée de secours… et vous êtes apparus !

Ayant pu observer attentivement Yuften, Gunnar changea entièrement d'avis à son propos : il ne pouvait être le Prince sans Nom. Bien loin d'être cruel, le regard du garçon était tendre et son sentiment de culpabilité flagrant. De plus, leur ennemi, au lieu de veiller la jeune fille, l'aurait abandonnée à son sort.

– Tout ce que j'espère, c'est que Daishan se remette. Je le souhaite plus que tout au monde, confia Yuften, tête baissée.

Soudain le sifflement du vent se fit plus aigu : Ajar avait entrouvert la tente.

– Demain, la tempête sera passée; nous pourrons rentrer à Rochedocre, annonça-t-il. Au palais, Daishan pourra bénéficier de soins appropriés, mais sa vie n'est déjà plus en danger !

32 Retour à Rochedocre

L'aurore pointa sur les dunes dorées, qui sous l'effet du vent impétueux de la nuit ressemblaient à des vagues.

Sous la tente qu'elle partageait avec Daishan, la princesse dormait d'un sommeil profond et sans rêves. Avant de s'allonger, elle avait jeté un dernier coup d'œil à sa cousine pour voir si son état s'améliorait. Le visage de la jeune fille semblait détendu, mais il était encore trop tôt pour se réjouir. Confiante dans les soins que lui prodiguait Ajar, Samah avait alors cédé à la fatigue accumulée tout au long des jours précédents.

Quand le premier rayon de soleil frappa leur tente, Daishan s'anima. Après tant de froid et d'obscurité,

voici que la lumière et la chaleur étaient revenues ! Elle souleva une paupière, mais l'éblouissante clarté la lui fit aussitôt baisser. Elle recommença plus lentement, puis, tendant la main, effleura la partie de la toile déjà pâle que blanchissait le soleil naissant. Cette douce sensation la fit se sentir à nouveau vivante.

– Où suis-je ? murmura-t-elle.

En entendant sa voix, Samah écarquilla les yeux : avait-elle rêvé ? Quand elle se retourna et vit Daishan éveillée, elle n'eut plus aucun doute et la serra dans ses bras.

– Daishan, ma cousine adorée ! Quel bonheur de te retrouver !

Sous le coup de l'émotion et de la faiblesse, Daishan ne put lui répondre immédiatement.

– Je me suis fait un sang d'encre ! Nous croyions que tu avais été enlevée ! s'exclama Samah entre deux sanglots.

– J'en suis profondément désolée, répondit la convalescente en serrant avec émoi la main de la princesse.

– Tu nous raconteras tout plus tard. Dis-moi seulement si ce garçon, Yuften, t'a fait du mal. Il nous a dit ce qui s'était passé, mais j'ignore si je peux lui faire confiance…

– Non, il ne m'a rien fait. Pas lui, en tout cas… Mais,

le scorpion… J'ai été piquée par une de ces sales bêtes ! s'alarma-t-elle en se palpant le cou.

– Ne t'inquiète pas, nous sommes arrivés à temps, la rassura la princesse. Ajar t'a administré l'antidote qu'il avait sur lui. Mais quelques heures de plus et…

Daishan ouvrit des yeux terrorisés.

Sa cousine avait dû se ronger les sangs à cause d'elle, songea-t-elle.

– Samah, je te demande pardon…

– Nous étions tous très inquiets : moi, grand-père, ton frère… soupira la princesse.

– Armal ? Il est ici ? Et Yuften, où se trouve-t-il ?

– N'aie pas peur, ils sont tous les deux dans une autre

tente. Il y a aussi Ajar, à qui tu dois la vie, et un hôte tout juste arrivé à Rochedocre.

– Qui est-ce ?

– Gunnar, ou plutôt le prince Gunnar.

Daishan ferma les yeux et se concentra sur sa respiration. Puis laissant les mots jaillir du plus profond de son cœur, elle confessa :

– Samah, je ne réussis toujours pas à comprendre ce que j'ai fait. La nuit où je me suis enfuie, j'entendais comme une voix me répétant que la feuille d'argent était en danger. C'était comme si quelque chose ou quelqu'un avait pris le contrôle de mes actes.

– Calme-toi, c'est fini. Ne pense plus qu'à récupérer.

– Oui, mais… je ne parvenais pas à me débarrasser de cette présence, elle était plus forte que moi. Je me rappelle être ensuite montée sur les Versants désolés, où…

À ce moment, la voix de la jeune fille se brisa.

– … j'ai pris la feuille d'argent, acheva-t-elle.

– Je sais, Yuften nous l'a raconté, répondit Samah en posant une main sur son épaule.

Soudain quelqu'un appela de l'extérieur :

– Samah, tu es réveillée ?

La princesse défit les rubans qui fermaient la tente, laissant apparaître le visage d'Armal.

Retour à Rochedocre

En découvrant que sa sœur avait repris connaissance, le jeune homme resta sans voix. Il avait tant espéré la revoir bien portante que ce soudain prodige le prit de court.

– Petit frère ! s'écria Daishan en lui tendant les bras.

Bien que les marques de la piqûre aient disparu, le cou de la jeune fille restait encore très douloureux.

Armal se glissa sous la tente baignée de soleil et étreignit délicatement sa sœur.

– Si tu savais combien je t'ai cherchée… sans jamais perdre espoir ! Dis-moi, comment vas-tu ?

– Bien, à part le dessous de mon oreille, qui me fait abominablement mal. Écoute, Armal, je…

– Tu m'expliqueras plus tard. La seule chose qui compte ce matin, c'est que tu sois saine et sauve ! Je vais prévenir Ajar et Gunnar. Nous allons te ramener au palais pour que tu puisses te reposer.

Daishan baissa la tête et se mit à pleurer.

L'aidant à se lever, Samah la réconforta.

– Courage, tâchons de nous préparer. On rentre à la maison !

Malgré ses efforts pour paraître sereine, la princesse savait qu'il était encore trop tôt pour souffler. Un combat non négligeable restait à mener : celui contre le Prince sans Nom.

33

Enfin à la maison !

Le voyage du retour fut long et fatigant. La petite expédition ne rencontra pas d'autre tempête, mais dut réserver deux chevaux au seul usage de Daishan et de Yuften, qui étaient encore faibles et fatigués. Les quatre autres cavaliers se partagèrent les deux animaux restants en marchant à tour de rôle.

Durant tout le trajet, les jeunes rescapés chevauchèrent côte à côte sans échanger le moindre mot.

Quand Samah entrevit enfin Rochedocre, son cœur s'emballa. Bientôt, elle serait chez elle. Elle était impatiente de retrouver son grand-père et de présenter Daishan à Kaléa. Sa plus grande joie, songea-t-elle alors, serait de parvenir un jour à réunir toute sa famille.

Enfin à la maison !

La montée vers la cité constitua le dernier effort de cet exténuant périple.

Comme c'était le soir, les rues de Rochedocre étaient désertes et silencieuses. Le petit groupe se dirigea droit vers l'entrée du palais. Dans la cour, Kel-Radek attendait de s'occuper des montures, comme s'il avait pressenti leur retour…

Quand il vit que Yuften et Daishan étaient sains et saufs, il ne put réprimer un élan de joie.

– Bienvenue, princesse Samah !

Puis se tournant vers Daishan, il lui dit avec un grand sourire :

– Je suis heureux de te revoir !

Prenant les rênes des quatre coursiers, il s'engouffra ensuite dans les écuries pour dissimuler son émotion.

Peu après, le Grand-Père et Kaléa, qui se trouvaient sur la terrasse du dernier étage, découvrirent, eux aussi, le petit groupe. Kaléa se précipita aussitôt dans les escaliers.

– Enfin, vous voilà ! Comme c'est bon de vous revoir ! claironna-t-elle en dévalant les escaliers aussi vite que le permettait sa robe brodée de coquillages qui tintinnabulaient à chacun de ses pas.

Le Grand-Père la suivait à distance, avec le calme de celui qui a suffisamment vécu pour savoir que la hâte ne change rien aux événements.

Après avoir étreint sa sœur, Samah lui dit :

– J'aimerais te présenter Daishan, notre cousine.

Kaléa se tourna vers la jeune fille, qu'elle trouva particulièrement charmante, malgré les marques de ses récentes souffrances.

Comme Daishan n'osait pas s'approcher, Kaléa vint à elle, lui prit les mains et l'embrassa sur les deux joues.

– Je suis très heureuse de te connaître, Daishan ! Je suis Kaléa.

Après avoir salué, tout émue, sa nouvelle cousine, Daishan serra le Grand-Père dans ses bras.

Enfin à la maison !

– Tu es à la maison, maintenant ! lui dit-il en lui caressant les cheveux.

– Oui, et je ne veux plus jamais en partir.

– Pourtant, cela arrivera un jour ! Quand ce sera pour toi le bon moment !

Jusque-là demeuré à l'écart, Yuften s'avança pour prendre congé.

– Je tiens à vous remercier de m'avoir ramené à Rochedocre, même si j'aurais mérité de rester dans le désert… Je regrette amèrement de ne pas avoir réussi à protéger Daishan. Je vous prie de me pardonner, si

vous le pouvez. Maintenant, il est temps pour moi de retourner auprès de mes parents, qui doivent être morts d'inquiétude.

Armal s'approcha de lui et posa une main sur son épaule.

– Regarde, Yuften : nous sommes tous vivants ; quant à ma sœur, elle récupérera rapidement. Tu n'as aucune responsabilité dans ce qui s'est passé : Daishan était sous l'emprise d'une force plus grande qu'elle. Elle serait allée chercher la feuille d'argent avec ou sans toi. Je suis sûr que tu as tout fait pour la préserver et l'éclairer. D'ailleurs, je n'ose pas penser à la manière dont les choses auraient tourné si tu n'avais pas été là.

Le jeune homme l'écouta, les yeux baissés. Les paroles d'Armal lui inspirèrent une profonde gratitude, mais il fut incapable de lui répondre.

– À présent, mieux vaut que tu partes retrouver les tiens : ils ne seront que trop heureux de te serrer dans leurs bras ! conclut Armal.

– Oui, approuva Yuften. Merci à toi !

Mais avant de s'en aller, il lui restait une dernière personne à saluer :

– Adieu, Daishan.

– Adieu, Yuften.

Enfin à la maison !

Il avait la gorge serrée comme dans un étau, et les larmes qu'il avait retenues jusque-là lui montaient aux yeux. Refusant que la jeune fille le voie dans cet état, il lui tourna le dos pour se diriger vers la place centrale.

À peine avait-il fait quelques pas que quelqu'un lui étreignit l'épaule.

– Yuften ?

Il s'immobilisa. Était-ce bien Daishan ? Après ce qui s'était passé, était-il possible qu'elle veuille encore avoir affaire à lui ?

Lorsqu'il se retourna, son regard exprimait la plus grande incrédulité… C'était bien elle ! Elle le fixait gravement.

– Daishan, je…

– Chut, ne dis rien !

Tous deux restèrent un moment face à face, sans bien savoir quoi faire, puis Daishan l'attira doucement à elle. Yuften ne savait plus s'il devait rire, pleurer ou chanter. C'était

un moment magnifique, qu'il voulait savourer jusqu'au bout.

– Pardonne-moi, se contenta-t-il de souffler à son oreille.

– Tu n'as rien à te faire pardonner, Yuften. Tout est ma faute ! C'est moi qui t'ai entraîné vers les Versants désolés, et encore moi qui ne pouvais plus avancer quand tu insistais pour qu'on rentre à Rochedocre.

– Mais alors, tu ne m'en veux pas ?

– Bien sûr que non !

– Je ne vais donc pas te perdre ?

– Cela ne dépendra que de nous.

– Alors je vais tout faire pour que cela n'arrive pas. Je t'écrirai, Daishan. Et je te porterai dans mon cœur chaque jour qui nous rapprochera de notre prochaine rencontre.

Ils relâchèrent leur étreinte, et la jeune fille prit la main de son compagnon.

– Je t'attendrai, mon courageux marchand. À bientôt !

Yuften sourit.

Puis il franchit le portail et disparut dans les ruelles de Rochedocre.

34
Le récit de Daishan

Samah, Kaléa, Gunnar, le Grand-Père et Armal étaient assis sur les grands coussins colorés de la terrasse.

Avant de se retirer dans sa chambre, Daishan les rejoignit. Il lui restait une dernière chose à faire et ensuite elle pourrait s'abandonner à un sommeil réparateur.

– Je tiens à vous présenter mes excuses, commença-t-elle. Jamais je n'ai voulu vous causer une telle inquiétude ; je n'arrive toujours pas à me pardonner d'avoir subtilisé la feuille d'argent… Je ne sais vraiment pas ce qui m'a pris. Une voix en moi répétait que le royaume était en danger, et que je devais aller la chercher pour le sauver. C'était comme si j'avais perdu toute capacité de

décision : la voix commandait et moi j'obéissais. C'est pourquoi, quand j'ai vu Rubin Blue venir à ma rencontre dans le désert, la voix m'a ordonné de lui remettre la feuille et je n'ai pas pu faire autrement. J'étais comme…

– Hypnotisée ? suggéra Gunnar. Aurais-tu remarqué la présence d'un coléoptère couleur cobalt dans ta chambre ?

– Je ne m'en souviens pas…

– On ne fait généralement pas attention aux petites bêtes, sauf quand elles piquent, soupira Samah.

– Attendez ! s'écria Daishan. Quand je me suis levée avec l'idée obsédante d'aller chercher la feuille d'argent, un insecte bleu bourdonnait autour de moi. Je l'ai chassé et il a disparu sous l'armoire… C'est alors que je me suis rappelé les conduits d'aération.

Les autres échangèrent des regards entendus en se mordant la lèvre ou en secouant la tête.

– Mais pourquoi cette question ? demanda la jeune fille.

– Parce que le Prince sans Nom utilise ce type d'insecte pour fléchir la volonté des gens et les faire agir selon ses plans. Cette fois, c'est apparemment toi qu'il a prise pour victime : comme tu es plus jeune que Samah, il a dû penser que tu serais une proie plus facile. Mon hypothèse

est que, grâce au coléoptère, il t'a incitée à récupérer le couplet et à le confier au prospecteur qu'il avait envoyé sur place. Le Prince sans Nom est très habile.

Tous ouvrirent de grands yeux effarés, sauf Daishan, qui n'y comprenait goutte : quel était ce couplet dont parlait Gunnar ? Et qui étaient ce prospecteur et ce prince ?

– Rubin Blue et le Prince sans Nom pourraient aussi…

– … être une seule et même personne, souffla Kaléa pour compléter l'idée d'Armal.

– Certes, c'est une possibilité, reconnut Gunnar. Samah, toi qui l'as côtoyé de plus près, as-tu surpris de la malveillance dans son regard ?

Samah repensa au trouble qu'elle éprouvait en fixant les yeux couleur de mer de Rubin Blue.

– Non, il semblait sincère…

Brusquement, elle s'interrompit.

– Gunnar, j'ai une chose à te montrer ! déclara-t-elle.

Sautant sur ses pieds, elle s'élança vers le second étage, suivie du prince des Glaces. En s'éloignant, ils entendirent Daishan supplier son frère de lui fournir de plus amples explications sur cette étrange histoire.

La princesse répugnait à déranger Dasin à une heure aussi tardive, mais elle n'avait guère le choix. Gunnar

devait absolument prendre connaissance de la tapisserie avec l'homme au turban.

Samah frappa doucement à la porte ouverte.

– Dasin ? C'est moi, Samah ! Puis-je entrer ?

– Bien sûr, princesse. Je ne dors pas encore.

La vieille dame était assise sur son lit. Sur une petite table proche éclairée par un chandelier, un repas disposé sur un joli plateau en paille tressée attendait toujours d'être mangé. Il se composait de riz, de purée de pois chiches et de fruits secs.

– Mais… tu n'as rien touché ! Tu te sens bien ?

– Oui, ce n'est que l'émotion de savoir Daishan saine et sauve parmi nous ! répondit la tisseuse.

– Comme tu es bonne, Dasin !

– Que me vaut l'honneur de votre visite ?

– Gunnar est là, lui aussi. J'aimerais lui montrer ta précédente toile.

– Celle de l'homme au turban ?

– Précisément.

– Elle est dans la corbeille à côté de mon métier, répondit Dasin en désignant un gros panier en osier situé dans un coin de la pièce.

La princesse alluma une seconde bougie et dénicha la tapisserie, qu'elle déroula dans la lumière.

– Pourrait-ce être lui ?

Gunnar n'eut guère besoin de s'attarder sur le visage de l'homme au turban doré pour identifier les yeux pénétrants du Prince sans Nom.

– Sans aucun doute ! Je reconnaîtrais ce regard entre mille !

Avant de la quitter, Samah et Gunnar remercièrent Dasin. Une fois dans l'escalier, la princesse respira profondément puis annonça à son compagnon :

– À présent, je dois te raconter ce que j'ai appris sur son compte lorsque j'étais à l'Académie…

35
Dans le palais endormi

L'homme était installé derrière une table encombrée de piles d'énormes ouvrages. Comme les lourds rideaux étaient tirés, son bureau baignait dans la pénombre. Mais même s'il avait choisi de dégager les grandes fenêtres donnant sur la mer infinie, seule une faible lumière, filtrant à travers le ciel gris, aurait éclairé la pièce.

Une épaisse couche de poussière reposait sur tous les meubles : les deux divans, les fauteuils, le vieux piano à queue. Les bibliothèques, qui tapissaient les murs, débordaient de livres jusqu'au plafond… qui était très haut.

D'immenses tapis représentant des scènes de chasse

ou de guerre dissimulaient entièrement le sol. Sur l'un d'eux gisait un éventail, oublié depuis on ne savait quand.

Dans l'air sans odeur et dense jusqu'à en paraître liquide, même le mobilier semblait au bord de l'asphyxie.

Le silence régnait. Pas une voix ou le moindre chahut en provenance des couloirs. Aucune musique, aucun son ou bruit de pas. Plus maintenant.

Le temps était comme suspendu depuis la dernière fois, fort lointaine, où cette pièce et l'ensemble du palais avaient bruissé de vie. Entre-temps, tout un petit monde

s'était endormi en espérant que quelqu'un trouve un jour le moyen de le réveiller.

Celui qui comptait y parvenir n'était autre que le Prince sans Nom, présentement assis à sa table.

Il n'avait plus de nom depuis que son implacable ennemi, le Roi sage, avait plongé la cour de son père, le Vieux Roi, dans un profond sommeil, le privant de tout ce qu'il possédait. Ainsi avaient été décrétés la fin de son enfance et le début d'une période de souffrances qui ne s'achèverait que lorsque l'ordre ancien serait rétabli.

Le fils du Vieux Roi aspirait à se venger. Il y songeait le jour et en rêvait la nuit. Une revanche définitive, qui ferait de lui le nouveau souverain du Grand Royaume.

Et désormais, il disposait d'un atout supplémentaire pour atteindre son but.

Il quitta la pièce et s'engagea dans un long et étroit couloir, dont la tapisserie vert sapin était constellée d'austères portraits. Puis il s'arrêta devant une porte, tira une clé de la petite poche de sa veste et l'ouvrit.

À l'intérieur de la pièce obscure, quelqu'un était assis sur un canapé. Tout en s'approchant, le Prince sans Nom fixa la maigre silhouette, aussi immobile qu'une statue.

– J'espère que tu as réfléchi ! lui lança-t-il.

Aucune réponse.

Le maître des lieux éclata d'un rire effrayant.

– À ton aise, mais avec le temps, tu finiras par comprendre, cher guérisseur, que tu n'as pas d'autre choix ! Et quand enfin tu me révéleras tes secrets, je deviendrai l'homme le plus puissant des Cinq Royaumes !

– Je crains que ton rêve ne se réalise jamais ! prononça la voix d'un très vieil homme. Cruel et méprisable comme tu l'es, ne compte pas sur moi pour t'aider à accomplir tes sinistres desseins !

– C'est ce que nous verrons ! s'amusa le prince.

Ressortant de la pièce, il verrouilla la porte derrière lui.

– Oh oui, nous verrons… répéta-t-il en faisant résonner sa voix jusqu'au bout du couloir, comme si ses ancêtres avaient pu lui répondre.

De retour dans son bureau, il repensa à son plan. Pour le mener à bien, il devait réussir à s'emparer des cinq couplets composant le *Chant du sommeil*, qui lui permettraient de réveiller le palais et la cour.

Il ouvrit un tiroir de son secrétaire et en sortit deux très fines feuilles d'argent sur lesquelles étaient gravés des vers.

D'une voix sonore, il lut avec application la première :

– Roi du plus profond des sommeils,
Souverain de la paix du monde,

Ô toi, tout puissant esprit de l'eau et du sel,
Je t'invoque, maître des insondables ondes.

À l'éternel repos condamne le tyran,
Qui jadis causa d'épouvantables tourments.

C'était le couplet de Kaléa. Ensuite, il déclama celui de Samah, obtenu par l'intermédiaire de sa naïve cousine :

– Reine du plus profond des sommeils,
Protectrice de la paix du monde,

Ô toi, puissante âme du sable et du soleil,
Qu'enfin ta venue de félicité nous comble !

À l'éternel repos condamne le tyran,
Qui jadis causa d'épouvantables tourments.

Un jeu d'enfant ! commenta-t-il toujours à haute voix.

Le sortilège qui lui permettait de communiquer avec le coléoptère grâce au vent était une trouvaille fabuleuse, tout comme son idée d'envoyer un prospecteur à Rochedocre pour récupérer le couplet. Il n'avait eu

aucune difficulté à mettre Rubin Blue sur la bonne piste et à le faire hypnotiser par l'insecte afin de l'amener à soustraire la feuille d'argent à la cousine de Samah.

Bientôt, les autres couplets seraient, eux aussi, entre ses mains. Il ne lui restait plus que deux royaumes à visiter, et qu'à régler l'affaire non aboutie avec Nives, la princesse des Glaces éternelles.

Cette perspective le fit ricaner de plaisir.

Les deux feuilles d'argent qui lui manquaient étaient gardées par Yara, la princesse des Forêts, et Diamant, la princesse de l'Obscurité.

Chez laquelle irait-il en premier ?

Sur la table, près des gros volumes, se trouvait une pièce de monnaie portant d'un côté le profil de son père, de l'autre un symbole éloquent : l'épée ! Comme tout ce qui aurait pu rappeler le Vieux Roi, cette devise n'avait plus cours dans les Cinq Royaumes.

Le prince secoua la tête en signe de réprobation, prit la pièce et la fit tourner entre ses doigts sans cesser de l'observer.

Puis il la lança en l'air et la rattrapa en la plaquant sur le dos d'une de ses mains.

Il choisit une princesse pour

le côté pile et l'autre pour le côté face, puis regarda le résultat.

Pile.

La question était tranchée : la pièce avait décidé à qui il ferait sa prochaine visite.

Extrayant un gros ouvrage de la colonne de livres qui se trouvait devant lui, il se mit à en feuilleter les pages, qui étaient couvertes de dessins et de formules magiques.

– Voici le maléfice qu'il me faut !

Penché sur l'ouvrage, il se mit à psalmodier une étrange litanie.

36

Départs

Depuis un moment déjà, la lune avait disparu du ciel de Rochedocre, cédant la place aux premières lueurs de l'aube. Sur la terrasse du palais, Kaléa, Samah et Gunnar avaient passé la nuit à reconstituer les mouvements du Prince sans Nom à l'intérieur de leurs trois royaumes.

– Nous devons partir au plus tôt ! conclut Gunnar.

Les deux jeunes filles et lui-même étaient épuisés, mais l'inquiétude que leur inspirait le sort des autres princesses les incitait à ne pas perdre de temps.

– Oui, mais où ? demanda Kaléa.

– Chez Yara. Je crains que nous n'ayons guère le choix, répondit Samah.

– Et si notre ennemi allait chez Diamant ?

– Mon royaume est relié à celui des Forêts, alors que celui de l'Obscurité n'est accessible que depuis Arcandide, par le fossé Frémissant, expliqua Samah.

En tant que sœur aînée, elle connaissait parfaitement le circuit des passages secrets.

– Comment ? Le fossé communique avec un autre royaume ? s'exclama Gunnar, stupéfait.

– Oui, pourquoi ? Quelqu'un l'a-t-il utilisé ?

– Involontairement, oui. Calengol, l'ennemi juré de Nives et du royaume des Glaces éternelles, y est tombé, ou plutôt, y a été précipité par le Prince sans Nom, qui voulait se débarrasser de lui.

– L'un de ceux qui nous en veulent pourrait donc se trouver sur le territoire de Diamant ? s'alarma Kaléa.

– Je doute que Calengol ait survécu à sa chute, observa Gunnar.

– Mais si c'était le cas et qu'il n'en soit pas diminué, notre sœur serait doublement menacée !

– Du calme, Kaléa. Il n'arrivera rien à Diamant : nous ne les laisserons pas faire ! la rassura Samah.

Gunnar se leva, puis se tourna vers le soleil levant, qui parait les dunes de mille et une couleurs.

Baissant les paupières, il se laissa envahir par la douce

chaleur de ses rayons et par le parfum des fleurs du jardin porté par l'air vif du matin.

S'il n'y avait pas eu tous ces problèmes et ces dangers à affronter, il aurait goûté un moment délectable.

– Je pense que pour alerter vos deux sœurs au plus vite, le mieux serait de nous diviser, affirma-t-il après un long silence.

– Tu veux qu'on se sépare ?

– Oui, Kaléa. Cela nous donnera une plus grande marge de manœuvre, vu que ni Yara ni Diamant ne sont informées des sombres desseins du Prince sans Nom. C'est bien parce que vous n'aviez pas été mises en garde qu'il a eu le champ libre !

– Je suis d'accord, dit Samah. Voici ce que je propose : nous irons tous les trois au royaume des Forêts, où je tâcherai de parler à Yara, tandis que vous deux rejoindrez le lac où se trouve le passage secret menant à Arcandide afin d'y retrouver Nives. Elle aussi pourrait avoir besoin d'aide.

Et là-bas, vous pénétrerez dans le fossé Frémissant pour prévenir Diamant.

– Si c'est la seule solution… consentit à contrecœur Kaléa.

– Je le crois, répliqua Samah. Qu'en dis-tu, Gunnar ?

– Cela me semble un bon plan, approuva-t-il, émerveillé par le sens pratique de la princesse. À présent, je vous dirais volontiers bonne nuit… si ce n'était pas déjà le matin !

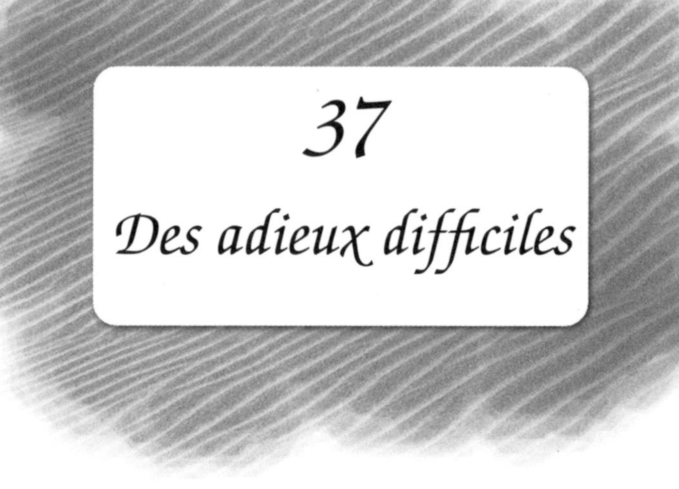

37
Des adieux difficiles

Samah, Kaléa et Gunnar étaient prêts à partir, mais il leur restait une dernière tâche à accomplir, la plus difficile : faire leurs adieux.

– Lorsque j'ai quitté mon royaume, j'ai laissé une lettre à Naéhu, Purotu et… au reste la cour, déclara Kaléa. Sachant que la séparation aurait été plus difficile si nous avions été face à face, j'ai préféré leur écrire.

– Je te comprends, répondit sa sœur. Mais à Rochedocre, tous mes proches sont impliqués dans cette histoire. S'ils doivent affronter un quelconque danger, ils doivent savoir ce que nous avons décidé de faire… Gardons-nous toutefois de trop en dire : nous avons vu

comment cet être malveillant sait soutirer les informations dont il a besoin.

– Tu as raison, Samah, c'est la meilleure attitude, approuva Gunnar.

~*~

Ainsi le Grand-Père, Armal et Daishan furent-ils invités à les rejoindre dans la salle de la Voûte céleste. Aucun d'eux ne savait précisément ce dont Samah voulait les entretenir, mais en voyant son air sérieux, ils comprirent que le sujet était pour le moins important.

– Je dois partir pour notre bien à tous, commença la princesse. Kaléa et Gunnar viendront avec moi.

– Où irez-vous ? s'enquit Daishan, complètement remise.

– Au royaume des Forêts.

– S'il te plaît, emmène-moi, cousine ! la pria Armal, qui se sentait inutile quand il ne participait pas à l'action.

– Non, tu m'aideras davantage en restant ici pour protéger le palais.

– Contre qui ?! Le Prince sans Nom a déjà eu ce qu'il voulait ici !

N'appréciant guère les mauvaises manières, la princesse s'apprêtait à le prier de modérer ses propos, quand Gunnar intervint :

– Avec lui, on ne sait jamais. Un homme courageux et fort doit veiller sur Rochedocre. En outre, il faut mettre la main sur la liste des bienfaiteurs de l'Académie. Peut-être nous fournira-t-elle de nouvelles informations sur notre ennemi, nous permettant, pour une fois, de le prendre de vitesse. Tu penses pouvoir t'en charger ?

– Oui, bien sûr ! Compte sur moi ! assura Armal.

– Mais enfin Samah, comment ferons-nous sans toi ? s'alarma Daishan.

– Vous vous en sortirez, j'en suis sûre.

– Tout ira bien, pars tranquille ! la rassura son grand-père. Et embrasse tes sœurs de ma part.

La princesse du Désert le fixa avec étonnement. Comme d'habitude, le sage Amar avait tout compris. Il avait deviné qu'elle comptait pousser son voyage jusqu'au royaume de l'Obscurité et qu'ils ne se reverraient pas de sitôt. Elle l'étreignit avec émotion.

– Tu me manqueras, grand-père ! Et vous aussi, mes cousins ! Mais à présent, nous devons y aller.

Sur ces mots, Samah les laissa et, suivie de Kaléa et de Gunnar, descendit dans la cour.

La princesse jeta un dernier regard à ses proches, accoudés à la fenêtre : tous trois souriaient.

Le cœur plus léger, elle se dirigea vers le jardin.

38
Le passage secret

Ce matin-là, le jardin de Rochedocre était un véritable écrin de verdure. Des fleurs de toutes les couleurs avaient surgi partout : sur les branches, au milieu des buissons, dans l'herbe… Et les pêchers étaient chargés de gros fruits parfumés.

Samah en cueillit trois, qu'elle proposa à ses compagnons.

– Une dernière pêche en souvenir de ce royaume et de cette terre !

– Elle est délicieuse ! s'exclama Kaléa dès qu'elle l'eut goûtée. J'avais presque oublié cette saveur.

Finissant de l'engloutir à grosses bouchées, Gunnar semblait lui aussi l'apprécier !

– Et maintenant, partons !

– Où se trouve le passage ?

– Juste devant toi, sœurette ! répondit Samah en désignant le grand baobab au tronc rouge.

La princesse des Coraux la regarda d'un air dubitatif.

– Dans cet arbre ?

– En effet, mais ce n'est pas n'importe quel arbre : il s'agit d'un baobab au tronc creux.

– Ah oui ?

– Comme il peut emmagasiner une grande quantité d'eau, il résiste parfaitement à la sécheresse.

Tous trois s'approchèrent. Le tronc rouge, dont sortaient de solides branches noueuses, était spectaculairement gros. À vue de nez, il ne fallait pas moins de trois personnes pour en faire le tour.

– Suivez-moi ! dit Samah.

Elle se posta face à une longue brèche dans l'écorce de l'arbre et y plongea la main. À son contact, la cavité s'élargit lentement jusqu'à ménager un véritable passage.

Gunnar et Kaléa la regardèrent, admiratifs.

– Vite, entrons ! les pressa-t-elle.

Ils pénétrèrent, l'un après l'autre, à l'intérieur de l'arbre. Il y faisait sombre et on y sentait une forte odeur de terre réchauffée par le soleil. Quelques instants plus

tard, une seconde ouverture apparut devant eux, dans laquelle ils se glissèrent en toute hâte.

Ils se retrouvèrent alors dans un endroit tout aussi noir, mais ressemblant moins à l'intérieur d'un baobab qu'à…

– Une grotte ! annonça Kaléa.

– C'est bien ce qu'il semble ! confirma Gunnar après l'avoir explorée à tâtons.

Et de proposer par mesure de prudence :

– Je passe devant !

Lorsqu'ils débouchèrent hors de la caverne, une éclatante lumière verte manqua de les aveugler.

Ils se trouvaient au beau milieu d'une forêt luxuriante, entourés d'arbres immenses, de rochers couverts de mousse et de plantes à très larges feuilles.

Dans cette jungle résonnaient les cris de toutes

sortes d'animaux, pour la plupart totalement inconnus des trois voyageurs.

On ne discernait pas le moindre sentier ou chemin, rien qu'un vaste entrelacs de végétation. Et par endroits, branches et lianes enchevêtrées empêchaient même d'apercevoir le ciel.

– Quelle merveille ! s'extasia Kaléa en se penchant pour toucher une feuille brillante et charnue.

– Bien. À présent, tâchons de trouver le palais de Yara ! dit Samah, sans se départir de son bon sens.

À ce moment, du plus profond de la forêt monta un cri effrayant, qui les fit tous trois sursauter.

Gunnar tendit l'oreille.

Silence.

Peu après, le même cri retentit plus près.

– Restez derrière moi ! murmura Gunnar.

Un instant plus tard, face au prince des Glaces éternelles apparut un gigantesque gorille… dont les intentions ne semblaient guère amicales !

L'animal émit un hurlement encore plus menaçant. Selon toute vraisemblance, il était venu montrer aux trois envahisseurs qui commandait sur ce territoire.

Ah, comme Gunnar aurait aimé retrouver ses crocs et ses griffes de grand loup blanc ! Mais l'heure n'était pas

aux regrets. Pour les tirer de cette pénible situation, les uniques armes dont il disposait étaient son intelligence et son expérience.

– Ne bougez pas d'un pouce ! ordonna-t-il aux princesses. Je me charge de lui.

Tandis que Gunnar esquissait un pas prudent vers l'énorme primate, Samah et Kaléa blêmirent.

Vous vous demandez certainement ce qui a pu se passer entre Gunnar et le gorille, et lequel des deux a eu le dessus. Sachez qu'il n'y a pas toujours de vainqueur et de vaincu : parfois, les choses tournent autrement…

Mais n'anticipons pas !

D'ailleurs, après ce long voyage au royaume du Désert, vous devez être fatigués. Au fait, avez-vous eu du sable dans les yeux ? Je vous avais pourtant dit d'emporter une écharpe !

En tout cas, j'espère que vous avez apprécié ces quelques jours passés au palais élégamment coloré de Rochedocre. La salle de la Voûte céleste est une splendeur, vous ne trouvez pas ?

Au cours de votre séjour, peut-être aurez-vous relevé un détail. Je vous donne un indice : il se situe dans la chambre de Samah… Vous avez deviné ? Le tapis, bien sûr ! Il ressemble étrangement à celui qui se trouve dans la chambre de Nives. Comment cela se fait-il ? Si vous êtes patients, je vous le raconterai bientôt. Promis !

Il nous faut d'ailleurs laisser une autre affaire en suspens : l'histoire de Daishan. Comment va-t-elle finir ? Son amour s'épanouira-t-il ? Posez la question à Samah : j'ai comme l'impression qu'elle gardera sa cousine à l'œil pendant un bon moment !

Retournons à présent au cœur de la forêt dans laquelle ont débouché nos trois amis. Quelque part au plus profond des bois se trouve une clairière, occupée par un lac aux eaux cristallines. On peut s'y rafraîchir, mais aussi emprunter le passage secret qui mène au royaume des Glaces éternelles. Mais avant d'y parvenir, Kaléa, Samah et Gunnar devront affronter le gorille…

Restez avec eux : l'union fait la force !

Sur ce point, tous les héros de notre histoire me donneront raison. Je dis « notre », car désormais ce n'est plus seulement la mienne, mais aussi et surtout la vôtre ! Si comme moi, vous avez partagé les aventures de Nives, Samah, Kaléa, Gunnar et tous les autres personnages que nous avons rencontrés jusqu'ici, ceux-ci sont également devenus vos amis !

Quant au Prince sans Nom, redoublons de vigilance à son égard ! Sa soif de vengeance est si dévorante que rien ne semble pouvoir l'arrêter. Il ne pense qu'à récupérer les cinq couplets du Chant du sommeil*; d'ailleurs, en ce moment même, il tend les redoutables* *filets dans lesquels il espère faire tomber la prochaine princesse à qui il rendra visite.*

Dans les Cinq Royaumes, il flotte comme un air de guerre. Entendez-vous ces échos lointains ? On dirait des bruits de bataille derrière le gorille ! Yara et sa cour seraient-elles en danger ?

Nous le découvrirons en poursuivant notre voyage au royaume des Forêts.

J'oubliais : si vous savez siffler, entraînez-vous à le faire trois fois de suite. Ce sera le meilleur moyen d'appeler au secours !

Téa Stilton

TABLE

Seconde partie

Cet ouvrage a été composé par IGS-CP
à L'Isle-d'Espagnac (16)

Les secrets
de Samah

Le palais de Rochedocre a été peint en moins d'une semaine grâce à l'intervention de tous les habitants de la cité.

Chaque couleur est empruntée à un élément du monde végétal, comme une fleur ou une épice. Cela donne un arc-en-ciel de tons chauds, qui remplit les yeux de lumière !

La spirale représente l'eau.

La porte d'entrée du palais est en bois d'iroko. Sur chacun de ses battants sont gravés deux motifs : une spirale, symbole de l'eau, et une tête de rhinocéros, signe de force et de puissance.

Mon grand-père est un homme très sage.
Un jour, il a sauvé notre verger
d'une invasion d'insectes. Comment ?

En produisant
des sons presc
oubliés, il a
conduit l'essaim
vers une oasis.

Voici mes cousins,
Daishan et Armal !
Ils sont fiers et
courageux, mais
aussi têtus...

Ma jument Amira n'est-elle
pas merveilleuse ?
C'est mon inséparable compagne
d'aventures... et une guide précieuse
pour parcourir l'immensité du désert
des Murmures !

Les babouches sont
les chaussures
les plus répandues
par ici. J'en ai bien
trente paires... Mais
ce qui me plaît
le plus, c'est de
marcher pieds nus !

Vous l'avez reconnu?
Oui, c'est cela : ma sœur
Nives en a un semblable
dans sa chambre.
À première vue, on dirait
un tapis comme les autres,
mais en réalité il est très
spécial...

Rochedocre a été construite
en hauteur pour échapper
aux tempêtes de sable
sévissant au pied
de l'éperon.

La fontaine des Merveilles fournit à la cité une eau cristalline. Sauriez-vous dire d'où viennent les coquillages qui ornent son bassin ? Du royaume des Coraux, naturellement !

Autour de la place se dressent de hautes et étroites maisons construites dans un mélange de paille et de boue.

Tous les hommes nés dans ce pays portent le turban.
POST CARD

Bienvenue à l'Académie du royaume du Désert, un lieu mystérieux et fascinant...

Son emblème paraît purement imaginaire. Pourtant mon père m'a raconté que, dans un coin perdu du royaume, poussent des palmiers dont on peut tirer du papier !

On trouve de drôles
de choses au
marché...

J'adore me promener entre
les étals du marché des Sables !
Les parfums qui se dégagent
des sacs d'épices me parlent
d'endroits lointains
et chargés de mystères...
Les marchands s'y racontent
des histoires, qui, transmises
de bouche à oreille, donnent
naissance à de nouvelles
légendes.

... telles que des calebasses
utilisées comme des bols,
des coupes ou récipients
divers.

GÂTEAU DE DATTES

(pour 4 personnes)
250 g de dattes
120 g d'amandes
140 g de sucre
4 blancs d'œufs

Dénoyautez les dattes, hachez-les puis mélangez-les, dans un saladier, avec les amandes finement râpées. Ajoutez-y le sucre ainsi que les œufs montés en neige, et remuez.
Versez le tout dans un moule à gâteau et laissez cuire 30 minutes à 180 °C.

Fleurs d'abricot

Dattes fraîches

Fleurs de pêcher

Dattes sèches

Notre jardin est un endroit vraiment particulier, où poussent toutes les plantes caractéristiques des climats secs.